"我们认为，研读'古本伤寒'，贵在从实践上去研究验证，勿再为难以确考落实的真伪问题，各持异议，而作不必要的纷争。医籍不论出于何时何地，出于何人之手，果能'说理真实，运用有效'，即不可忽视其科学价值和实际作用。"

　　　　　　　　　　　　—— 魏雪舫（《古本伤寒研究论文集》）

桂林
古本

伤寒杂病论

[东汉] 张仲景 著
[民国] 罗哲初 手抄

朱 俊 点校

学苑出版社

图书在版编目（CIP）数据

桂林古本伤寒杂病论/（东汉）张仲景著；（民国）罗哲初手抄；
朱俊点校. —北京：学苑出版社，2014. 10（2019. 4 重印）

ISBN 978 - 7 - 5077 - 4626 - 6

Ⅰ. ①桂… Ⅱ. ①张… ②罗… ③朱… Ⅲ. ①《伤寒杂病论》
Ⅳ. ①R222. 1

中国版本图书馆 CIP 数据核字（2014）第 230158 号

责任编辑：付国英
出版发行：学苑出版社
社　　址：北京市丰台区南方庄 2 号院 1 号楼
邮政编码：100079
网　　址：www. book001. com
电子信箱：xueyuanpress@ 163. com
销售电话：010-67603091（总编室）、67601101（销售部）
经　　销：新华书店
印　刷　厂：山东百润本色印刷有限公司
开本尺寸：880 × 1230　　　1/32
印　　张：6. 75
字　　数：144 千字
版　　次：2015 年 1 月第 1 版
印　　次：2019 年 4 月第 3 次印刷
定　　价：36. 00 元

前　言

此次整理桂林古本《伤寒杂病论》，目的仅有一个，就是为同道传扬仲圣学问提供一个可以参考的版本。

此古本，据称为东汉张仲景所著《伤寒杂病论》第十二稿之世传抄本，历来未见于世。直至清末，世居岭南的张仲景六十四世孙——张绍祖方始传书予其徒桂林左盛德，左再传予其徒罗哲初。而后于1934年罗哲初借予黄竹斋抄写成《白云阁藏本》（略称《白云阁本》），1939年由张伯英资助校刊公世。

相较通行本《伤寒论》与《金匮要略》两者合参，桂林古本多出如下篇章："平脉法第一"、"平脉法第二"共两卷；奇经八脉病脉证并治，出现在《桂林古本》卷二"平脉法第二"篇；温病脉证并治；六淫病脉证并治——伤暑病、热病、湿病、伤燥病、伤风病、寒病。

自出世以来，桂林古本有以下公开刊行的版本：1939年黄竹斋《白云阁本》；1956年罗哲初之子罗继寿将世传抄本（直排）原稿献予政府，后由广西人民出版社于1960年出版不完全简体字化的直排版，1980年出版简体字横排版；1980年由黄竹斋高足米伯让，补刻三页书版"勘误表"，由陕西中医药研究院，依原黄竹斋所刻之《白云阁藏本》版重印二百部，称"《白云阁本》重刻版"；1986年，台湾中医整合研究小组赖鹏举等医师以广西人民出版社1980年版本为底本，整理成正体字版书籍与电子档（直排）正式刊行，大力推广。另外，1948年，黄竹斋据桂林古本，参照宋本、长沙古本、涪古本，订定伤寒论条文，撰成《伤寒杂病论会通》，世称《会通本》。

据古本左盛德先生序文，称仲景撰有一十三稿。现存宋本之《伤寒论》与《金匮要略》为第七稿，而《伤寒杂病论（桂林古本）》为第十二稿，共十六卷。一至二卷，为脉学；三至五卷，讨论温病；六至十六卷，除了少数文字略有改动，与后世传本大致相同。《桂林古本》与传统版本最大的差异是加入了温病的内容，就完整度及条文一致性上来说，桂林古本较为齐全，故得到许多人的支持，尤其是民间医家和爱好者们，认为桂林古本是最接近仲圣原稿的版本。台湾中医整合研究小组，以赖鹏举、邹贵海、张顺晶、陈乾原医师等担纲，20世纪80年代后期以来在他们创办的《整合中医学年刊》上，专门就桂林古本版本流传、学术渊源和价值进行了全面深入探讨。[①] 但是也有一些医家，比如著名的刘渡舟先生，认为桂林古本乃伪书，写作时间不早于明清二代，是后世伤寒派医家增补伤寒论条文而成，因为有以下疑点[②]：（1）方剂差

---

① 参见陈乾原《桂林古本〈伤寒杂病论〉之考证及研究概述》，《整合中医学年刊》2000年12月第3期；邹贵海，《桂林古本的内经渊源》，《整合中医学年刊》1989年5月第2期，《桂林古本的难经渊源》，《整合中医学年刊》1989年5月第2期；张顺晶《由赵本金匮要略考证桂林古本之真伪》，《整合中医学年刊》1987年5月第1期。

② http：//zh. wikipedia. org/wiki/% E5% 82% B7% E5% AF% 92% E9% 9B% 9C% E7% 97% 85% E8% AB% 96% E6% A1% 82% E6% 9E% 97% E5% 8F% A4% E6% 9C% AC；此处引用的观点，参考了佚名者整理的相关资料，特在此致谢。

异：在汤、散，剂型的使用上，桂林本的散剂是药物打成散而煮汤，而后去滓服之（如五苓散），变成所谓的"煮散"。煮散在宋朝时相当盛行，《梦溪笔谈》说："汤、散、丸，各有所宜。古方用汤最多，用丸、散殊少。煮散古方无用者，唯近世人为之。"若《梦溪笔谈》所说为真，从剂型来看，桂林古本的时代可能不早过宋朝。（2）存在类似后世医家的治方：桂林古本卷十六"辨妇人各病脉证并治"篇"黄芪当归汤方"类似金元四大家李杲的"当归补血汤"，唯《桂林古本》黄芪与当归用量比为六比一，而李杲所用比例为五比一。（3）药名差异：今版《伤寒论》或是《康平本伤寒论》，乃至杨绍伊先生根据《千金方》与《脉经》等书所考的《伊尹汤液经》这三个版本中的当归四逆汤（在康平本为当归回逆汤），皆是以通草为名，唯独桂林古本以木通为名。木通之名最早是在唐朝陈士良的《食性本草》中才出现，故桂林古本的著作时间可能不早于唐朝。（4）方名差异：玄武汤在宋真宗年间，因避讳而改称真武汤。唐本及《康平本伤寒论》皆称玄武汤，但是桂林古本则沿用传统真武汤之名。（5）病名差异：大量使用温病学派的病名，如在吴鞠通《温病条辨》举出的八种温病病名及分类，全部被承袭使用。

　　至于我辈如何看待这些流传的古本，我觉得张山雷先生的意见值得参考："谓古今病理原无二致，读者但据阅历经验，而折衷于治疗之实在，则所得参考资料必有可观。"[①]魏雪舫先生也有类似观点："我们认为，研读'古本伤寒'，贵在从实践上去研究验证，勿再为难以确考落实的真

---

　　① 参见《伤寒汲古》张山雷序。

伪问题，各持异议，而作不必要的纷争。医籍不论出于何时何地，出于何人之手，果能'说理真实，运用有效'，即不可忽视其科学价值和实际作用。"①

此次整理是以广西人民出版社 1980 年版为底本，参考广西人民出版社 1960 版、《白云阁本》重刻版、黄竹斋《会通本》以及台湾中医整合研究小组整理版等。各版本不一致之处，此次整理尽量采用广西人民出版社版八零本正文，并在注释中点出，但不加评说，还就少数地方做了改动，比如"右"字改为"上"字、"慄"改为"栗"、"濇"改为"涩"、"蹻"改为"蹻"、"内诸药"改为"纳诸药"、"桃核"改为"桃仁"，等等，这些都遵循现今惯例，不再赘述。至于原文的句读标点，各家有不同见解，此次整理参考了一些流行版本，但是仍然会有很多问题，静待高明。书后添加了《中医古籍处方剂量换算》和《汤方索引（笔画排序)》两个附录。

最后感谢学苑出版社的陈辉先生，没有他的大力支持，不可能出版如此充满争议的古籍，感谢袁大威先生为此书所做的艰苦细致的复核校对工作，也感谢我家人的理解和宽容，使我可以在某一时期内利用全部业余时间来做这件有意义的事情。

朱　俊　于鸠兹
2014 年 6 月 18 日

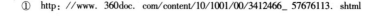

① http：//www. 360doc. com/content/10/1001/00/3412466_ 57676113. shtml

目 录

原　序

汉长沙太守　南阳　张　机

论曰：余每览越人入虢之诊，望齐侯之色，未尝不慨然叹其才秀也。怪当今居世之士，曾不留神医药，精究方术，上以疗君亲之疾，下以救贫贱之厄，中以保身长全，以养其生，但竞逐荣势，企踵权豪，孜孜汲汲，惟名利是务，崇饰其末，忽弃其本，华其外而悴其内。皮之不存，毛将安附焉？卒然遭邪风之气，婴非常之疾，患及祸至，而方震栗，降志屈节，钦望巫祝，告穷归天，束手受败，赍百年之寿命，持至贵之重器，委付凡医，恣其所措，咄嗟呜呼！厥身已毙，神明消灭，变为异物，幽潜重泉，徒为啼泣。痛夫！举世昏迷，莫能觉悟，不惜其命，若是轻生，彼何荣势之足云哉！而进不能爱人知人，退不能爱身知己，遇灾值祸，身居厄地，蒙蒙昧昧，蠢若游魂。哀乎！趋势之士，驰竞浮华，不固根本，忘躯徇物，危若冰谷，至于是也。

余宗族素多，向余二百，建安纪元以来，犹未十稔，其死亡者，三分有二，伤寒十居其七。感往昔之沦丧，伤横夭之莫救，乃勤求古训，博采众方，撰用《素问》、《九卷》、《八十一难》、《阴阳大论》、《胎胪药录》，并《平脉辨证》，为《伤寒杂病论》合十六卷，虽未能尽愈诸病，庶可以见病知源，若能寻余所集，思过半矣。

夫天布五行，以运万类，人禀五常，以有五脏，经络府俞，阴阳会通，玄冥幽微，变化难极，自非才高识妙，岂能探其理致哉！上古有神农、黄帝、岐伯、伯高、雷公、少俞、少师、仲文，中世有长桑、扁鹊，汉有公乘阳庆及仓公，下此以往，未之闻也。

观今之医，不念思求经旨，以演其所知，各承家技，终始顺旧，省疾问病，务在口给。相对须臾，便处汤药，按寸不及尺，握手不及足，人迎趺阳，三部不参，动数发息，不满五十，短期未知决诊，九候曾无仿佛，明堂阙庭，尽不见察，所谓窥管而已。夫欲视死别生，实为难矣。

孔子云：生而知之者上，学则亚之，多闻博识，知之次也。余宿尚方术，请事斯语。

伤寒杂病论序

桂林左盛德序

余闻吾师张绍祖先生之言曰："吾家伤寒一书，相传共有一十三稿。每成一稿，传抄殆遍城邑，兹所存者为第十二稿，余者或为族人所秘，或付劫灰，不外是矣。叔和所得相传为第七次稿，与吾所藏者较，其间阙如固多，编次亦不相类，或为叔和所篡乱，或疑为宋人所增删，聚讼纷如，各执其说。然考晋时尚无刊本，犹是传抄，唐末宋初始易传抄为刊刻，遂称易简。以此言之，则坊间所刊者，不但非汉时之原稿，恐亦非叔和之原稿也。"余聆训之下，始亦疑之，及读至伤寒例一卷，见其于可汗不可汗，可吐不可吐，可下不可下法，尽载其中，于六经已具之条为并不重引。法律谨严，始知坊间所刻之辨可汗不可汗、可吐不可吐、可下不可下以及发汗吐下后各卷，盖后人以读书之法，错杂其间，而未计及编书之法固不如是也，不然孔氏之徒，问仁者众，问政者繁，何不各类其类，而惮烦若此耶！吾师讳学正，自言为仲氏四十六世孙，自晋以后迁徙不一。其高祖复初公，自岭南复迁原籍，寄居光州，遂聚族焉。吾师虽承家学，不以医名，亦不轻出此书以示人。余得之受业者，殆有天焉。余宿好方术，得针灸之学于永川邓师宪章公，后随侍先严游宦岭南，与吾师同寅，朝夕相过从，见余手执宋本伤寒论，笑问曰："亦嗜此乎?"时余年仅弱冠，答曰："非敢云嗜，尚未得其要领，正寻绎耳。"师曰："子既好学，复知针灸，可以读伤寒论矣。吾有世传抄本伤寒杂病论十六卷，向不示人。得人不传，恐成坠绪。"遂历言此书颠末，及吾师家世，滔滔不倦。先严促余曰："速下拜。"于是即席拜之，得师事焉。今罗生哲初为吾邑知名人士，从习针灸历有年所，颇能好余之所好，余亦以所得者尽授之，余不负吾师，罗生亦必不负余，故特序其缘起，罗生其志之，罗生其勉之。

光绪二十年岁次甲午三月　桂林左盛德　序

伤寒杂病论卷第一

平脉法第一

【1】问曰：脉何以知气血脏①腑之诊也？师曰：脉乃气血先见。气血有盛衰，脏腑有偏胜；气血俱盛，脉阴阳俱盛；气血俱衰，脉阴阳俱衰。气独胜者，则脉强；血独盛者，则脉滑。气偏衰者，则脉微；血偏衰者，则脉涩②。气血和者，则脉缓；气血平者，则脉平；气血乱者，则脉乱；气血脱者，则脉绝。阳迫气血，则脉数；阴阻气血，则脉迟。若感于邪，气血扰动，脉随变化，变化无穷，气血使之。病变百端，本原别之。欲知病源，当凭脉变；欲知病变③，先揣其本。本之不齐，在人体躬。相体以诊，病无遁情。

【2】问曰：脉有三部，阴阳相乘；荣卫血气，在人体躬；呼吸出入，上下于中；因息游布，津液流通；随时动作，肖象形容；春弦秋浮，冬沉夏洪；察色观脉，大小不

---

① "脏"：各本均作"臟"，现均改作"脏"。后同。
② "涩"：各本均作"濇"。此二字互为异体字，现均改作"涩"。后同。
③ "欲知病变"：《会通本》无。

同；一时之间，变无经常；尺寸参差，或短或长；上下乖错，或存或亡；病辄改易，进退低昂；心迷意惑，动失纪纲；愿为俱陈，令得分明。师曰：子之所问，道之根源。脉有三部，尺寸及关；荣卫流行，不失衡铨；肾沉心洪，肺浮肝弦；此自经常，不失铢分；出入升降，漏刻周旋；水下百刻①，一周循环；当复寸口，虚实见焉；变化相乘，阴阳相干；风则浮虚，寒则牢坚②；沉潜水蓄，支饮急弦；动则为痛，数则热烦③；设有不应，知变所缘；三部不同，病各异端；太④过可怪，不及亦然；邪不空见，中必有奸；审察表里，三焦别焉；知其⑤所舍，消息诊看；料度脏腑⑥，独见若神。为子条记，传与贤人。

【3】师曰：平脉大法，脉分三部。浮部分经，以候皮肤经络之气；沉部分经，以候五脏之气；中部分经，以候六腑之气。

【4】师曰：脉分寸关尺。寸脉分经以候阳，阳者气之统也；尺脉分经以候阴，阴者血之注也；故曰阴阳。关上阴阳交界，应气血升降，分经以候中州之气。

【5】问曰：经说脉有三菽、六菽重者，何谓也？师曰：脉，人以指按之，如三菽之重者，肺气也；如六菽之重者，

---

① "百刻"：《白云阁本》与《会通本》均作"二刻"。古人用装水的漏壶来计时，一日一夜水下百刻，所以似以"百刻"为正。

② "牢坚"：《白云阁本》与《会通本》均作"紧弦"。

③ "动则为痛，数则热烦"：《白云阁本》与《会通本》均作"动弦为痛，数洪热烦"。

④ "太"：广西六零本作"大"，八零本作"太"，《白云阁本》作"大"，《会通本》作"太"。

⑤ "其"：《白云阁本》与《会通本》均作"邪"。

⑥ "脏腑"：广西六零本作"腑脏"，《白云阁本》作"府脏"。

心气也；如九菽之重者，脾气也；如十二菽之重者，肝气也；按之至骨者，肾气也。假令下利，寸口、关上、尺中，悉不见脉，然尺中时一小见，脉再举头者，①肾气也。若见损至脉来②，为难治。

【6】问曰：东方肝脉，其形何似？师曰：肝者，木也，名厥阴，其脉微弦，濡弱而长，是肝脉也。肝病自得濡弱者，愈也。假令得纯弦脉者，死。何以知之？以其脉如弦直，此是肝脏伤，故知死也。

【7】南方心脉，其形何似？师曰：心者，火也，名少阴，其脉洪大而长，是心脉也。心病自得洪大者，愈也。假令脉来微去大，故名反，病在里也。脉来头小本大，故曰复③，病在表也。上微头小者，则汗出；下微本大者，则为关格不通、不得尿。头无汗者，可治；有汗者，死。

【8】西方肺脉，其形何似？师曰：肺者，金也，名太阴，其脉毛浮也，肺病自得此脉。若得缓迟者，皆愈；若得数者，则剧。何以知之？数者，南方火也。火克西方金，法当痈肿，为难治也。

【9】北方肾脉，其形何似？师曰：肾者，水也，其脉沉而石，肾病自得此脉者，愈；若得实大者，则剧。何以知之？实大者，长夏土王，土克北方水，水脏立涸也。

【10】师曰：人迎脉大，趺阳脉小，其常也。假令人迎、趺阳平等为逆；人迎负趺阳，为大逆。所以然者，胃

① "然尺中时一小见，脉再举头者"：《会通本》断作"然尺中时一小见脉，再举头者"。

② "损至脉来"：他本多据宋本校作"损脉来至"。此句实出于《难经》第十四难，据此应以"损至脉来"为正。

③ "复"：各本均作"覆"，现均改为"复"。后同。

气上升，动在人迎；胃气下降，动在趺阳。上升力强，故曰大；下降力弱，故曰小。反此为逆，大逆则死。

【11】师曰：六气所伤，各有法度，舍有专属，病有先后。风中于前，寒中于背；湿伤于下，雾伤于上；雾客皮腠，湿流关节；极寒伤经，极热伤络；风令脉浮，寒令脉紧，又令脉急；暑则浮虚，湿则濡涩；燥短以促，火躁而数。风寒所中，先客太阳；暑气炎热，肺金则伤；湿生长夏，病入脾胃；燥气先伤，大肠合肺；壮火食气，病生于内，心与小肠，先受其害。六气合化，表里相传，脏气偏胜，或移或干；病之变证，难以殚论，能合色脉，可以万全。

【12】问曰：上工望而知之，中工问而知之，下工脉而知之，愿闻其说。师曰：夫色合脉，色主形外，脉主应内。其色露脏，亦有内外。察色之妙，明堂阙庭。察色之法，大指推之。察明堂推而下之，察阙庭推而上之。五色应五脏，如肝色青、脾色黄、肺色白、心色赤、肾色黑，显然易晓。色之生死，在思用精。心迷意惑，难与为言。

【13】色青者，病在肝与胆。假令身色青，明堂色微赤者，生；白者，死；黄白者，半死半生也。

【14】色赤者，病在心与小肠。假令身色赤，明堂微黄者，生；黑者，死；黄黑者，半死半生也。

【15】色黄者，病在脾与胃。假令身色黄，明堂微白者，生；青者，死；黄青者，半死半生也。

【16】色白者，病在肺与大肠。假令身色白，明堂色微黑者，生；赤者，死；黄赤者，半死半生也。

【17】色黑者，病在肾与膀胱。假令身色黑，明堂色微

青者，生；黄者，死；黄赤者，半死半生也。

【18】阙庭脉色青而沉细，推之不移者，病在肝；青而浮大，推之随转者，病在胆。

【19】阙庭脉色赤而沉细，推之参差不齐者，病在心；赤而横戈，推之愈赤者，病在小肠。

【20】阙庭脉色黄，推之如水停留者，病在脾；如水急流者，病在胃。

【21】阙庭脉色青白，推之久不还者，病在肺；推之即至者，病在大肠。

【22】阙庭脉色青黑直下睛明，推之不变者，病在肾；推之即至者，病在膀胱。

【23】明堂阙庭色不见，推之色青紫者，病在中焦有积；推之明于①水者，病在上焦有饮；推之黑赤参差者，病在下焦有寒热。

【24】问曰：色有内外，何以别之？师曰：一望而知者，谓之外；在明堂阙庭，推而见之者，谓之内。

【25】病暴至者，先形于色，不见于脉；病久发者，先见于脉，不形于色；病入于②脏，无余证者，见于脉，不形于色；病痼疾者，见于脉，不形于色也。

【26】问曰：色有生死，何谓也？师曰：假令色黄，如蟹腹者生，如枳实者死。有气则生，无气则死，余色仿③此。

---

① "于"：他本多作"於"，《白云阁本》和《会通本》均作"如"。现"於"均改作"于"。后同。

② "于"：《白云阁本》和《会通本》均无此字。

③ "仿"：《白云阁本》和《广西六零本》均作"做"。

【27】师曰：人秉五常有五脏，五脏发五声，宫、商、角、徵、羽是也；五声在人，各具一体。假令人本声角，变商声者，为金克木，至秋当死；变宫、徵、羽皆病，以本声不可变故也。

【28】人本声宫，变角声者，为木克土，至春当死；变商、徵、羽皆病。

【29】人本声商，变徵声者，为火克金，至夏当死；变宫、角、羽皆病。

【30】人本声徵，变羽声者，为水克火，至冬当死；变角、宫、商皆病。

【31】人本声羽，变宫声者，为土克水，至长夏当死；变角、商、徵皆病。

【32】以上所言，皆人不病而声先病者。初变可治，变成难瘥；词①声之妙，差在毫厘，本不易晓，若病至②发声则易知也。

【33】师曰：持脉，病人欠者，无病也。脉之呻者，病也。言迟者，风也；摇头言者，里痛也；行迟者，表强也；坐而伏者，短气也；坐而下一脚者，腰痛也；里实护腹，如怀卵物者，心痛也。

【34】病人长叹，声出高入卑者，病在上焦；出卑入高者，病在下焦；出入急促者，病在中焦有痛处；声唧唧而叹者，身体疼痛；问之不欲语，语先泪下者，必有忧郁；问之不语，泪下不止者，必有隐衷；问之不语，数问之而

---

① "词"：《白云阁本》和《会通本》均作"闻"。从文义来看，"词声"较"闻声"更为妥帖。

② "至"：《白云阁本》和《会通本》均无此字。

微笑者，必有隐疾。

【35】实则谵语，虚则郑声；假令言出声卑者，为气虚；言出声高者，为气实。欲言手按胸中者，胸中满痛；欲言手按腹者，腹中满痛；欲言声不出者，咽中肿痛。

【36】师曰：脉病人不病，名曰行尸，以无王气，卒眩仆，不识人者，短命则死；人病脉不病，名曰内虚，以少谷神，虽困无苦。

【37】师曰：脉，肥人责浮，瘦人责沉；肥人当沉今反浮；瘦人当浮今反沉，故责之。

【38】师曰：呼吸者，脉之头也。初持脉，来疾去迟，此出疾入迟，名曰内虚外实也。初持脉，来迟去疾，此出迟入疾，名曰内实外虚也。

【39】寸口卫气盛，名曰高；荣气盛，名曰章；高章相搏，名曰纲。卫气弱，名曰惵；荣气弱，名曰卑；惵卑相搏，名曰损。卫气和，名曰缓；荣气和，名曰迟；迟缓相搏，名曰沉。

【40】阳脉浮大而濡，阴脉浮大而濡，阴脉与阳脉同等者，名曰缓也。

【41】问曰：二月得毛浮脉，何以处言至秋当死？师曰：二月之时，脉当濡弱，反得毛浮者，故知至秋死。二月肝用事，肝属木，脉应濡弱，反得毛浮者，是肺脉也。肺属金，金来克木，故知至秋死。他皆仿此。

【42】师曰：立夏得洪大脉，是其本位，其人病身体苦疼重者，须发其汗；若明日身不疼不重者，不须发汗；若汗濈濈自出者，明日便解矣。何以言之？立夏脉洪大是其时脉，故使然也。四时仿此。

【43】问曰：凡病欲知何时得、何时愈，何以知之？师曰：假令夜半得病者，明日日中愈；日中得病者，夜半愈。何以言之？日中得病、夜半愈者，以阳得阴则解也；夜半得病、明日日中愈者，以阴得阳则解也。

【44】问曰：脉病欲知愈、未愈者，何以别之？答曰：寸口、关上、尺中三处，大小、浮沉、迟数同等，虽有寒热不解者，此脉阴阳为和平，虽剧当愈。

【45】师曰：寸脉下不至关，为阳绝；尺脉上不至关，为阴绝。此皆不治，决死也。若计其余命生死之期，期以月节克之也。

【46】脉，浮者在前，其病在表；浮者在后，其病在里。假令濡而上鱼际者，宗气泄也；孤而下尺中者，精不藏也；若乍高乍卑，乍升乍坠，为难治。

【47】寸口脉缓而迟，缓则阳气长，其色鲜，其颜光，其声商，毛发长；迟则阴气盛，骨髓生，血满，肌肉紧薄鲜鞕。阴阳相抱，荣卫俱行，刚柔相得，名曰强也。

【48】寸口脉，浮为在表，沉为在里；数为在腑，迟为在脏。假令脉迟，此为在脏也。

【49】寸口脉浮紧①，浮则为风，紧则为寒。风则伤卫，寒则伤荣。荣卫俱病，骨节烦疼，当发其汗也。

【50】寸口脉浮而数。浮为风，数为热；风为虚，虚为寒。风虚相搏，则洒淅恶寒也。

【51】问曰：病有洒淅恶寒，而复发热者，何也？师曰：阴脉不足，阳往从之；阳脉不足，阴往乘之也②。何谓

---

① "浮紧"：《白云阁本》和《会通本》均作"浮而紧"。

② "也"：《白云阁本》无此字。

阳脉不足①? 师曰：假令寸口脉微，名曰阳不足。阴气上入阳中，则洒淅恶寒也。何谓阴脉不足②? 师曰：假令③尺脉弱，名曰阴不足，阳气下陷入阴中，则发热也。阴脉弱者，则血虚，血虚则筋急也。其脉涩者，荣气微；其脉浮而汗出如流珠者，卫气衰也。荣气微者，加烧针则血留④不行，更发热而躁烦也。

【52】寸口脉阴阳俱紧者，法当清邪中于上焦、浊邪中于下焦。清邪中于上，名曰洁也；浊邪中于下，名曰浑也。阴中于邪，必内栗也，表气微虚，里气不守，故使邪中于阴也；阳中于邪，必发热、头痛、项强、颈挛、腰痛、胫酸，所谓⑤阳中雾露之气。故曰清邪中上，浊邪中下。阴气为栗，足膝逆冷，便溺妄出，表气微虚，里气微急，三焦相混，内外不通。上焦怫郁，脏气相熏，口烂食断⑥也；中焦不治，胃气上冲，脾气不转，胃中为浊，荣卫不通，血凝不流。若胃气⑦前通者，小便赤黄，与热相搏，因热作使，游于经络，出入脏腑，热气所过，则为痈脓；若阴气前通者，阳气厥微，阴无所使，客气内入，嚏而出之，声嗢咽塞；寒厥相追，为热所拥，血凝自下，状如豚肝；阴阳俱厥，脾气孤弱，五液注下；下焦不阖，清便下重，令

---

① "何谓阳脉不足?"：《白云阁本》作："曰：何谓阳脉不足?"

② "何谓阴脉不足?"：《白云阁本》作："曰：何谓阴脉不足?"

③ "假令"：《白云阁本》和《会通本》均无此二字。

④ "留"：《成本》作"流"，《宋本》、《会通本》均作"留"，《白云阁本》作"瘤"。

⑤ "谓"：《白云阁本》作"为"，他本均作"谓"。

⑥ "口烂食断"：他本中"断"多作"齗"。"齗"者，牙龈也。若将"食"释为"蚀"，则此句又另有解读，但是大意没有实质性区别。

⑦ "胃气"：《白云阁本》和《会通本》均作"卫气"。

便数难，脐筑湫痛，命将难全。

【53】寸口脉阴阳俱紧者，口中气出，唇口干燥，蜷卧足冷，鼻中涕出，舌上胎滑，勿妄治也。到七日以来，其人微发热，手足温者，此为欲解；或到八日以上，反大发热者，此为难治。设使恶寒者，必欲呕也；腹内痛者，必欲利也。

【54】寸口脉阴阳俱紧，至于吐利，其脉独不解。紧去人安，此为欲解。若脉迟，至六七日，不欲食，此为晚发，水停故也，为未解；食自可者，为欲解。

【55】寸口脉浮而大，有热，心下反鞕，属脏者，攻之，不令发汗；属腑者，不令溲数。溲数，则大便鞕，汗多则热甚①。脉迟者，尚未可攻也。

【56】问曰：病有战而汗出，因得解者，何也？师曰：脉浮而紧，按之反芤，此为本虚，故当战而汗出也。其人本虚，是以发战，以脉浮紧，故当汗出而解也。若脉浮数，按之不芤，此人本不虚。若欲自解，但汗出耳，不发战也。

【57】问曰：病有不战而汗出解者，何也？师曰：脉大而浮数，故不战汗出而解也。

【58】问曰：病有不战、不汗出而解者，何也？师曰：其脉自微，此以曾发汗、若吐、若下、若亡血，以内无津液，此阴阳自和，必自愈，故不战、不汗出而解也。

【59】问曰：伤寒三日，脉浮数而微，病人身凉和者，何也？师曰：此为欲解也。解以夜半。浮而解者，濈然汗出也；数而解者，必能食也；微而解者，必大汗出也。

---

① 此处，《白云阁本》和《会通本》多出"溲数则便难"五字。

【59】脉浮而迟，面热赤而战惕者，六七日当汗出而解；反发热者，差迟。迟为无阳，不能作汗，其身必痒也。

【60】病六七日，手足三部脉皆至，大烦而口噤不能言，其人躁扰者，未欲解也；若脉和，其人不烦，目重，睑内际黄者，此欲解也。

【61】师曰：伏气之病，以意候之。今月之内，欲知伏气，假令旧有伏气，当须脉之。若脉微弱者，当喉中痛似伤，非喉痹也。病人云：实咽中痛。虽尔，今复宜下之。

【62】师曰：病家人请云"病人苦发热，身体疼，病人自卧。"师到，诊其脉沉而迟者，知其差也。何以知之？凡表有病者，脉当浮大，今反沉迟，故知愈也。假令病人云：腹内卒痛。病人自坐，师到，脉之浮而大者，知其差也。凡里有病者，脉当沉细，今反浮大，故知愈也。

【63】师曰：病家人来请云"病人发热烦极"。明日师到，病人向壁卧，此热已去也。设令脉不和，处言"已愈"；设令向壁卧，闻师到，不惊起而盼视，若三言三止，脉之咽唾者，此诈病也。设令脉自和，处言"此病大重，当须服吐下药、针灸数十百处，乃愈"。

【64】问曰：脉有灾怪，何谓也？师曰：假令人病，脉得太阳，与形证相应，因为作汤，比还送汤如食顷，病人乃大吐，若下利，腹中痛。师曰：我前来不见此证，今乃变异，是名灾怪。又问曰：何缘得此吐利？师曰：或有旧时服药，今乃发作，故为灾怪耳。

伤寒杂病论卷第二

平脉法第二

【65】问曰：脉有阴阳，何谓也？师曰：凡脉大、浮、数、动、滑，此名阳也；凡脉沉、涩、迟、弦、微，此名阴也。凡阴病见阳脉者生，阳病见阴脉者死。

【66】阴阳相搏名曰动，阳动则汗出，阴动则发热。形冷恶寒者，此三焦伤也。若脉数见于关上，上下无头尾如豆大，厥厥然动摇者，名曰动也；脉来缓，时一止复来者，名曰结；脉来数，时一止复来者，名曰促。脉阳盛则促，阴盛则结，此皆病脉。又脉来动而中止，更来小数，中有还者反动，名曰结阴也；脉来动而中止，不能自还，因而复动者，名曰代阴也。得此脉者，必难治。脉阴阳俱促，当病血，为实；阴阳俱结，当亡血，为虚。假令促上寸口者，当吐血，或衄；下尺中者，当下血；若乍促乍结，为难治。脉数者，久数不止，止则邪结，正气不能复，却结于脏，故邪气浮之，与皮毛相得。脉数者，不可下，下之必烦，利不止。

【67】问曰：脉有阳结、阴结者，何以别之？师曰：其脉浮而数，能食不大便者，此为实，名曰阳结也，期十七

日当剧；其脉沉而迟，不能食，身体重，大便反鞕，名曰阴结也，期十四日当剧。

【68】脉蔼蔼如车盖者，名曰阳结也。

【69】脉累累如循长竿者，名曰阴结也。

【70】脉瞥瞥如羹上肥者，阳气微也。

【71】脉萦萦如蜘蛛丝者，阴气衰也。

【72】脉绵绵如泻漆之绝者，亡其血也。

【73】问曰：脉有残贼，何谓也？师曰：脉有弦、紧、浮、滑、沉、涩，此六脉，名曰残贼，能为诸脉作病也。

【74】问曰：脉有相乘、有纵有横、有逆有顺，何也？师曰：水行乘火，金行乘木，名曰纵；火行乘水，木行乘金，名曰横；水行乘金，火行乘木，名曰逆；金行乘水，木行乘火，名曰顺也。

【75】问曰：濡弱何以反适十一头？师曰：五脏六腑相乘，故令十一。

【76】脉阴阳俱弦，无寒热，为病饮。在浮部，饮在皮肤；在中部，饮在经络；在沉部，饮在肌肉；若寸口弦，饮在上焦；关上弦，饮在中焦；尺中弦，饮在下焦。

【77】脉弦而紧者，名曰革也。弦者状如弓弦，按之不移也；紧者如转索无常也。

【78】脉弦而大，弦则为减，大则为芤，减则为寒。芤则为虚；寒虚相搏，此名为革。妇人则半产、漏下，男子则亡血、失精。

【79】问曰：曾为人所难，紧脉从何而来？师曰：假令亡汗、若吐，以肺里寒，故令脉紧也；假令咳者，坐饮冷水，故令脉紧也；假令下利，以胃中虚冷，故令脉紧也。

【80】寸口脉浮而紧，医反下之，此为大逆。浮则无血，紧则为寒；寒气相搏，则为肠鸣。医乃不知，而反饮冷水，令汗不出。水得寒气，冷必相搏，其人即噎。

【81】寸口脉微，尺脉紧，其人虚损多汗，知阴常在，绝不见阳也。

【82】寸口脉浮而大，浮为风虚，大为气强；风气相搏，必成瘾疹，身体为痒，痒者名曰泄风，久久为痂癞。

【83】寸口脉浮而大，浮为虚，大为实；在尺为关，在寸为格；关则不得小便，格则吐逆。

【84】寸口脉微而涩，微者卫气不行，涩者荣气不逮。荣卫不能相将，三焦无所仰，身体痹不仁。荣气不足，则烦疼，口难言；卫气虚者，则恶寒数欠。三焦不归其部，上焦不归者，噫而酢吞；中焦不归者，不能消谷引食；下焦不归者，则遗溲。

【85】寸口脉微而涩，微者卫气衰，涩者荣气不足。卫气衰则面色黄，荣气不足则面色青。荣为根，卫为叶，荣卫俱微，则根叶枯槁，而寒栗、咳逆唾腥、吐涎沫也。

【86】寸口脉微而缓，微者卫气疏，疏则其肤空；缓者卫气①实，实则谷消而水化也。谷入于胃，脉道乃行；水入于经，其血乃成。荣盛则其肤必疏，三焦绝经，名曰血崩。

【87】寸口脉弱而缓，弱者阳气不足，缓者胃气有余，噫而吞酸，食卒不下，气填于膈上也。

【88】寸口脉弱而迟，弱者卫气微，迟者荣中寒。荣为血，血寒则发热；卫为气，气微者心内饥，饥而虚满，不

---

① "卫气"：《白云阁本》和《会通本》均作"胃气"。

能食也。

【89】寸口脉弱而涩，尺中浮大，无外证者，为病属内伤。

【90】寸口脉弱而涩，尺中濡弱者，男子病失精，女子病赤白带下。

【91】寸口脉洪数，按之弦急者，当发瘾疹。假令脉浮数，按之反平者，为外毒①；脉数大，按之弦直者，为内毒，宜升之，令其外出也。误攻则内陷，内陷则死。

【92】寸口脉洪数，按之急滑者，当发痈脓。发热者，暴出；无热者，久久必至也。

【93】寸口脉浮滑，按之弦急者，当发内痈。咳嗽胸中痛，为肺痈，当吐脓血；腹中掣痛，为肠痈，当便脓血。

【94】寸口脉大而涩，时一弦，无寒热，此为浸淫疮所致也。若加细数者，为难治。

【95】趺阳脉紧而浮，浮为气，紧为寒；浮为腹满，紧为绞痛。浮紧相搏，肠鸣而转，转即气动，隔气乃下，少阴脉不出，其阴肿大而虚也。

【96】趺阳脉微而紧，紧则为寒，微则为虚，微紧相搏，则为短气。

【97】趺阳脉大而紧者，当即下利，为难治。

【98】趺阳脉浮，浮则为虚，浮虚相搏，故令气噎，言胃气虚竭也。此为医咎，责虚取实，守空迫血。脉滑则为哕，脉浮、鼻中燥者，必衄也。

【99】趺阳脉迟而缓，胃气如经也。趺阳脉浮而数，浮

① 此处，《白云阁本》有"宜清之"三字，与《长沙古本》同。

则伤胃，数则动脾，此非本病，医特下之所为也。荣卫内陷，其数先微，脉反但浮，其人必大便鞕，气噎不除。何以言之？本以数脉动脾，其数先微，故知脾气不治，大便鞕，气噎不除，令脉反浮；其数改微，邪气独留，心中则饥，邪热不杀谷，潮热发渴；数脉当迟缓，病者则饥；数脉不时，则生恶疮也。

【100】趺阳脉浮而涩，少阴脉如经者，其病在脾，法当下利。何以知之？若脉浮大者，气实血虚也。今趺阳脉浮而涩，故知脾气不足，胃气虚也。以少阴脉弦而沉才见，此为调脉，故称如经也。若反滑而数者，故知当屎脓也。

【101】趺阳脉浮而芤，浮者胃气①虚，芤者荣气伤。其身体瘦，肌肉甲错，浮芤相搏，宗气衰微，四属断绝也。

【102】趺阳②脉浮而大，浮为气实，大为血虚，血虚为无阴。孤阳独下阴部者，小便当赤而难，胞中当虚。今反小便利而大汗出，法应胃家③当微，今反更实，津液四射，荣竭血尽，干烦而不眠，血薄肉消，而成暴④液。医复以毒药攻其胃，此为重虚，客阳去有期，必下如淤泥而死。

【103】问曰：翕奄沉，名曰滑，何谓也？师曰：沉为纯阴，翕为正阳，阴阳和合，故令脉滑。关尺自平。

【104】趺阳脉微沉，食饮自平；少阴脉微滑，滑者，紧之浮名也，此为阴实。其人必股内汗出，阴下湿也。

---

① "胃气"：《白云阁本》、《会通本》和《成本》均作"卫气"。
② "趺阳"：《白云阁本》和《会通本》均作"寸口"。
③ "胃家"：《白云阁本》和《会通本》均作"卫家"。
④ "暴"：《白云阁本》和《会通本》均作"黑"。

【105】趺阳脉浮而滑，浮为阳，滑为实，阳实相搏，其脉数疾，卫气失度。浮滑之脉变为数疾，发热汗出者，此为不治。

【106】趺阳脉滑而紧，滑者胃气实，紧者脾气强。持实击强，痛还自伤，以手把刃，坐作疮也。

【107】趺阳脉沉而数，沉为实，数消谷；紧者，病难治。

【108】趺阳脉伏而涩，伏则吐逆，水谷不化，涩则食不得入，名曰关格。

【109】师曰：病人脉微而涩者，此为医所病也。大发其汗，又数大下之，其人亡血，病当恶寒，后乃发热，无休止时。夏月盛热，欲著复衣；冬月盛寒，欲裸其身。所以然者，阳微则恶寒，阴弱则发热。此医发其汗使阳气微，又大下之令阴气弱。五月之时，阳气在表，胃中虚冷，以阳气内微，不能胜冷，故欲着复衣；十一月之时，阳气在里，胃中烦热，以阴气内弱，不能胜热，故欲裸其身。又阴脉迟涩，故知血亡也。

【110】少阴脉弱而涩，弱者微烦，涩者厥逆。

【111】趺阳脉不出，脾不上下，身冷肤鞭。

【112】少阴脉不至，肾气微，少精血，奔气促迫，上入胸膈，宗气反聚，血结心下，阳气退下，热归阴股，与阴相动，令身不仁，此为尸厥，当刺期门、巨阙。

【113】妊娠，脉弦数而细，少腹痛，手心热，此为热结胞中，不先其时治之，必有产难。

【114】产后脉洪数，按之弦急，此为浊未下。若浊已下，而脉如故者，此为魂脱，为难治。

【115】诸脉浮数，当发热而洒淅恶寒。若有痛处，饮食如常者，蓄积有脓也。

【116】问曰：人恐怖者，其脉何状？师曰：脉形如循丝累累然，其面白脱色也。

【117】问曰：人不饮，其脉何类？师曰：脉自涩，唇口干燥也。

【118】问曰：人愧者，其脉何类？师曰：脉浮，而面色乍白乍赤也。

【119】师曰：寸口诸微亡阳，诸濡亡血，诸弱发热，诸紧为寒。诸乘寒者，则为厥，郁冒不仁，以胃无谷气，脾涩不通，口急不能言，战而栗也。

【120】师曰：发热则脉躁，恶寒则脉静，脉随证转者，为病疟。

【121】师曰：伤寒，咳逆上气，其脉散者，死。为其形损故也。

【122】师曰：脉乍大乍小，乍静乍乱，见人惊恐者，为祟发于胆，气竭故也。

【123】师曰：人脉皆无病，暴发重病、不省人事者，为厉鬼。治之以祝由，能言者可治，不言者死。

【124】师曰：脉浮而洪，身汗如油，喘而不休，水浆不下，形体不仁，乍静乍乱，此为命绝也。又未知何脏先受其灾？若汗出发润，喘不休者，此为肺先绝也；阳反独留，形体如烟熏，直视摇头者，此为心绝也；唇吻反青，四肢掣习者，此为肝绝也；环口黧黑，油汗发黄者，此为脾绝也；溲便遗失，狂言，目反直视者，此为肾绝也。又未知何脏阴阳前绝？若阳气前绝、阴气后竭者，其人死，

身色必青；阴气前绝、阳气后竭者，其人死，身色必赤、腋下温、心下热也。

【125】奇经八脉不系于十二经，别有自行道路。其为病总于阴阳，其治法属十二经。假令督脉为病，脊背强，隐隐痛，脉当微浮而急，按之涩，治属太阳。

【126】任脉为病，其内结痛疝瘕，脉当沉而结，治属太阴。

【127】冲脉为病，气上逆而里急，脉当浮虚而数，治属太阴。

【128】带脉为病，苦腹痛，腰间冷痛，脉当沉而细，治属少阴。

【129】阳跷为病，中于侧，气行于外，脉当弦急，按之缓，治属少阳。

【130】阴跷为病，中于侧，气行于内，脉当浮缓，按之微急而弦，治属厥阴。

【131】阳维与诸阳会，其为病在脉外，发寒热，脉当浮而虚，治属气分。

【132】阴维与诸阴交，其为病在脉中，心中痛，手心热，脉当弦而涩，治属血分。

【133】阳维维于阳，阴维维于阴，为气血之别使，不拘于一经也。

【134】奇经八脉之病，由各经受邪，久久移传，或劳伤所致，非暴发也。

【135】问曰：八脉内伤，何以别之？师曰：督脉伤，柔柔不欲伸，不能久立，立则隐隐而胀；任脉伤，小便多，其色白浊；冲脉伤，时咳不休，有声无物，劳则气喘；带

脉伤，回身一周冷；阳跷伤，则身左不仁；阴跷伤，则身右不仁；阳维伤，则畏寒甚，皮常湿；阴维伤，则畏热甚，皮常枯。

【136】问曰：八脉内伤，其脉何似？师曰：督脉伤，尺脉大而涩；任脉伤，关脉大而涩；冲脉伤，寸脉短而涩；带脉伤，脉沉迟而结；阳跷伤，脉时大而弦；阴跷伤，脉时细时弦；阳维伤，脉时缓时弦；阴维伤，脉时紧时涩。问曰：其治奈何？师曰：督脉伤，当补髓；任脉伤，当补精；冲脉伤，当补气；带脉伤，当补肾；阳跷伤，则益胆；阴跷伤，则补肝；阴维伤，则调卫；阴维伤，则养荣。

【137】问曰：其处方奈何？师曰：相体虚实，察病轻重，采取方法，权衡用之，则无失也。

伤寒杂病论卷第三

六气主客第三

【138】问曰：六气主客何以别之？师曰：厥阴生少阴，少阴生少阳，少阳生太阴，太阴生阳明，阳明生太阳，太阳复生厥阴，周而复始，久久不变，年复一年，此名主气；厥阴生少阴，少阴生太阴，太阴生少阳，少阳生阳明，阳明生太阳，复生厥阴，周而复始，此名客气。

【139】问曰：其始终奈何？师曰：初气始于大寒，二气始于春分，三气始于小满，四气始于大暑，五气始于秋分，终气始于小雪，仍终于大寒，主客相同，其差各三十度也。

【140】问曰：司天在泉奈何？师曰：此客气也。假如子午之年，少阴司天，阳明则为在泉，太阳为初气，厥阴为二气，司天为三气，太阴为四气，少阳为五气，在泉为终气；卯酉之年，阳明司天，少阴在泉，则初气太阴，二气少阳，三气阳明，四气太阳，五气厥阴，终气少阴；戌辰之年，太阳司天，太阴在泉；丑未之年，太阴司天，太阳在泉；寅申之年，少阳司天，厥阴在泉；巳亥之年，厥阴司天，少阳在泉；其余各气，以例推之。

【141】问曰：其为病也何如？师曰：亦有主客之分也。假如厥阴司天，主胜，则胸胁痛，舌难以言；客胜，则耳鸣，掉眩，甚则咳逆。少阴司天，主胜，则心热，烦躁，胁痛支满；客胜，则鼽嚏，颈项强，肩背瞀热，头痛，少气，发热，耳聋，目瞑，甚则跗肿，血溢，疮，喑，喘咳。太阴司天，主胜，则胸腹满，食已而瞀；客胜，则首、面、跗肿，呼吸气喘。少阳司天，主胜，则胸满，咳逆，仰息，甚则有血，手热；客胜，则丹疹外发，及为丹熛，疮疡，呕逆，喉痹，头痛，嗌肿，耳聋，血溢，内为瘛疭。阳明司天，主胜，则清复内余，咳，衄，嗌塞，心膈中热，咳不止而白血出者死，金居少阳之位，客不胜主也。太阳司天，主胜，则喉嗌中鸣；客胜，则胸中不利，出清涕，感寒则咳也。厥阴在泉，主胜，则筋骨繇并，腰腹时痛；客胜，则关节不利，内为痉强，外为不便。少阴在泉，主胜，则厥气上行，心痛发热，膈中众痹皆作，发于胠胁，魄汗不藏，四逆而起；客胜，则腰痛，尻、股、膝、髀、腨、胻、足病，瞀热以酸，跗肿不能久立，溲便变。太阴在泉，主胜，则寒气逆满，食饮不下，甚则为疝；客胜，则足痿下肿，便溲不时，湿客下焦，发而濡泄，及为阴肿，隐曲之疾。少阳在泉，主胜，则热反上行，而客于心，心痛发热，格中而呕；客胜，则腰腹痛，而反恶寒，甚则下白溺白。阳明在泉，主胜，则腰重，腹痛，少腹生寒，下为鹜溏，寒厥于肠，上冲胸中，甚则喘满，不能久立；客胜，则清气动下，小腹坚满，而数便泄。太阳在泉，以水居水位，无所胜也。

【142】问曰：其胜复何如？师曰：有胜必有复，无胜

则无复也。厥阴之胜，则病耳鸣，头眩，愦愦欲吐，胃膈如寒，胠胁气并，化而为热，小便黄赤，胃脘当心而痛，上及两胁，肠鸣，飧泄，少腹痛，注下赤白，甚则呕吐，膈不通；其复也，则少腹坚满，里急暴痛，厥心痛，汗发，呕吐，饮食不入，入而复出，筋骨掉眩清厥，甚则入脾，食痹而吐。少阴之胜，则病心下热，善饥，脐下反动，气游三焦，呕吐，躁烦，腹满而痛，溏泄赤沃；其复也，则燠热内作，烦躁，衄嚏，少腹绞痛，嗌燥，气动于左上行于右，咳则皮肤痛，暴暗，心痛，郁冒不知人，洒淅恶寒振栗，谵妄，寒已而热，渴而欲饮，少气，骨痿，膈肠不便，外为浮肿，哕噫，痱疹，疮疡，痈疽，痤痔，甚则入肺，咳而鼻渊。太阴之胜，则火气内郁，疮疡于中，流散于外，病在胠胁，甚则心痛热格，头痛，喉痹，项强，又或湿气内郁，寒迫下焦，少腹满，腰椎痛强，注泄，足下湿，头重，跗肿，足胫肿，饮发于中，跗肿于上；其复也，则体重，中满，食饮不化，阴气上厥，胸中不便，饮发于中，咳喘有声，头项痛重，掉瘛尤甚，呕而密默，唾吐清液，甚则入肾，窍泄无度。少阳之胜，则病热客于胃，心烦而痛，目赤，呕酸，善饥，耳痛，溺赤，善惊谵妄，暴热消烁，少腹痛，下沃赤白；其复也，枯燥，烦热，惊瘛，咳，衄，心热，烦躁，便数，憎风，厥气上行，面如浮埃，目乃瞤瘛，火气内发，上为口糜，呕逆，血溢，血泄，发而为疟，恶寒鼓栗，寒极反热，嗌络焦槁，渴饮水浆，色变黄赤，少气肺痿，化而为水，传为跗肿，甚则入肺，咳而血泄。阳明之胜，则清发于中，左胠胁痛，溏泄，内为嗌塞，外发㿉疝，胸中不便，嗌而咳；其复也，则病生胠胁，气归于左，善太息，甚则心痛痞满，腹胀而泄，呕苦，咳哕烦心，病在膈中，甚则入肝，惊骇筋挛。太阳之胜，则病痔疟，发寒厥入胃，则内生心痛，阴中乃疡，隐曲不利，亘引阴股，筋肉拘苛，血脉凝泣，络满血变，或为血泄，皮肤痛肿，腹满时减，热反上行，头项囟顶脑户中痛，目如脱，寒入下焦，则传为濡泄；其复也，则心胃生寒，胸膈不利，心痛痞满，头痛，善悲，时发眩仆，食减，腰椎反痛，屈伸不便，少腹控睾引腰脊上冲心，唾出清水，及为哕噫，甚则入心，善忘，善悲，寒复内余，则腰尻痛，屈伸不利，股胫足膝中痛。此六气为病，须谨识之，而弗失也。

【143】师曰：子知六气，不知五运，未尽其道，今为子言，假如太阳司天，而运当甲己，夫甲己土运也，太阳寒水也，土能克水，太阳不能正其位也；又如厥阴司天，而逢乙庚金运；少阴少阳司天，而逢丙辛水运；太阴司天，而逢丁壬木运；阳明司天，而逢戊癸火运，其例同也。

【144】问曰：其治法奈何？师曰：风寒暑湿燥热各随其气，有假者反之，甚者从之，微者逆之，采取方法，慎毋乱也。

伤寒例第四

【145】四时八节二十四节气七十二候决病法：
立春正月节斗指艮，雨水正月中斗指寅。
惊蛰二月节斗指甲，春分二月中斗指卯。

清明三月节斗指乙，谷雨三月中斗指辰。

立夏四月节斗指巽，小满四月中斗指巳。

芒种五月节斗指丙，夏至五月中斗指午。

小暑六月节斗指丁，大暑六月中斗指未。

立秋七月节斗指坤，处暑七月中斗指申。

白露八月节斗指庚，秋分八月中斗指酉。

寒露九月节斗指辛，霜降九月中斗指戌。

立冬十月节斗指乾，小雪十月中斗指亥。

大雪十一月节斗指壬，冬至十一月中斗指子。

小寒十二月节斗指癸，大寒十二月中斗指丑。

【146】二十四节气，节有十二，中气有十二。五日为一候，气亦同，合有七十二候。决病生死，此须洞解之也。

【147】阴阳大论云：春气温和，夏气暑热，秋气清凉，冬气冰冽，此则四时正气之序也。冬时严寒，万类深藏，君子周密，则不伤于寒。触冒之者，则名伤寒耳。其伤于四时之气，皆能为病。以伤寒为病者，以其最盛杀厉之气也，中而即病者，名曰伤寒。不即病，寒毒藏于肌肤，至春变为温病，至夏变为暑病。暑病者，热极重于温也。是以辛苦之人，春夏多温热者，皆由冬时触寒所致，非时行之气也。凡时行者，春时应暖而反大寒，夏时应热而反大凉，秋时应凉而反大热，冬时应寒而反大温，此非其时而有其气。是以一岁之中，长幼之病多相似者，此则时行之气也。夫欲候知四时正气为病及时行疫气之法，皆当按斗历占之。九月霜降节后，宜渐寒，向冬大寒，至正月雨水节后宜解也。所以谓之雨水者，以冰雪解而为雨水故也。至惊蛰二月节后，气渐和暖，向夏大热，至秋便凉。从霜

降以后，至春分以前，凡有触冒霜露，体中寒即病者，谓之伤寒也。九月十月，寒气尚微，为病则轻；十一月十二月，寒冽已严，为病则重；正月二月，寒渐将解，为病亦轻。此以冬时不调，适有伤寒之人即为病也。其冬有非节之暖者，名曰冬温。冬温之毒，与伤寒大异。冬温复有先后，更相重沓，亦有轻重，为治不同，证如后章。从立春节后，其中无暴大寒，又不冰雪，而有人壮热为病者，此属春时阳气，发其冬时伏寒，变为温病。从春分以后，至秋分节前，天有暴寒者，皆为时行寒疫也。三月四月，或有暴寒，其时阳气尚弱，为寒所折，病热犹轻；五月六月，阳气已盛，为寒所折，病热则重；七月八月，阳气已衰，为寒所折，病热亦微。其病与温相似，但治有殊耳。十五日得一气，于四时之中，一时有六气，四六名为二十四气。然气候亦有应至仍不至，或有未应至而至者，或有至而太过者，皆成病气也。但天地动静，阴阳鼓击者，各正一气耳。是以彼春之暖，为夏之暑；彼秋之忿，为冬之怒。是故冬至之后，一阳爻升，一阴爻降也。夏至之后，一阳气下，一阴气上也。斯则冬夏二至，阴阳合也；春秋二分，阴阳离也。阴阳交易，人变病焉。此君子春夏养阳，秋冬养阴，顺天地之刚柔也。小人触冒，必婴暴疹。须知毒烈之气，留在何经，必发何病，详而取之。是以春伤于风，夏必飧泄；夏伤于暑，秋必病疟；秋伤于湿，冬必咳嗽；冬伤于寒，春必病温。此必然之道，可不审明之。伤寒之病，逐日浅深，以施方治。今世人伤寒，或始不早治，或治不对病，或日数久淹，困乃告医。医人又不依次第而治之，则不中病。皆宜临时消息制方，无不效也。

【148】又土地温凉，高下不同；物性刚柔，飧居亦异。是故黄帝兴四方之问，岐伯举四治之能，以训后贤，开其未悟。临病之工，宜须两审也。

【149】凡伤于寒，传经则为病热，热虽甚，不死；若两感于寒而病者，多死。

【150】尺寸俱浮者，太阳受病也，当一二日发。以其脉上连风府，故头项痛，腰脊强。

【151】尺寸俱长者，阳明受病也，当二三日发。以其脉侠鼻、络于目，故身热、汗出、目疼、鼻干、不得卧。

【152】尺寸俱弦者，少阳受病也，当三四日发。以其脉循胁络于耳，故胸胁痛而耳聋。

【153】此三经受病，未入于腑者，皆可汗而已。

【154】尺寸俱沉濡者，太阴受病也，当四五日发。以其脉布胃中，络于嗌，故腹满而嗌干。

【155】尺寸俱沉细者，少阴受病也，当五六日发。以其脉贯肾，络于肺，系舌本，故口燥舌干而渴。

【156】尺寸俱弦微者，厥阴受病也，当六七日发。以其脉循阴器，络于肝，故烦满而囊缩。

【157】此三经受病，已入于腑者，皆可下而已。

【158】伤寒传经在太阳，脉浮而急数，发热，无汗，烦躁，宜麻黄汤。

麻黄汤方 麻黄三两（去节） 桂枝三两（去皮） 甘草一两（炙） 杏仁七十枚（去皮尖）

上①四味，以水九升，先煮麻黄减二升，去上沫，纳诸

---

① "上"：原文均为"右"，现全改为"上"。后同。

药，煮取二升半，去滓，温服八合，覆取微似汗，不须粥饮，余如桂枝法将息。桂枝汤见后卷。

【159】传阳明，脉大而数，发热，汗出，口渴，舌燥，宜白虎汤。不差，与承气汤。

白虎汤方　知母六两　　石膏一斤（碎，绵裹）①　甘草二两（炙）　粳米六合

上四味，以水一斗，煮米熟，汤成去滓，温服一升，日三服。

大承气汤方　大黄四两（酒洗）　厚朴半斤（炙，去皮）　枳实五枚　芒硝三合

上四味，以水一斗，先煮二物，取五升，去滓，纳大黄更煮取二升，去滓，纳芒硝，更上微火一两沸，分温再服，得下，余勿服。

小承气汤方　大黄四两（酒洗）　厚朴二两（炙，去皮）　枳实三枚大者（炙）

上三味，以水四升，煮取一升二合，去滓，分温二服，初服当更衣，不尔者，尽饮之，若更衣者，勿服之。

调胃承气汤方　甘草二两（炙）　芒硝半斤　大黄四两（酒洗）

上三味，以水三升，煮二物至一升，去滓，纳芒硝，更上微火一两沸，温顿服之，以调胃气。

【160】传少阳，脉弦而急，口苦，咽干，头晕，目眩，往来寒热，热多寒少，宜小柴胡汤。不差，与大柴胡汤。

小柴胡汤方　柴胡半斤　黄芩三两　人参三两　甘草三

_____

　　① "碎，绵裹"：此处原无"绵裹"二字，根据本书他卷和各本补入。后卷此汤中多用"棉裹"，现改为"绵裹"。后同。

两（炙）　生姜三两　大枣十二枚（劈）　半夏半升（洗）

上七味，以水一斗二升，煮取六升，去滓，再煎，取三升，温服一升，日三服。

大柴胡汤方　柴胡半斤　黄芩三两　芍药三两　半夏半升（洗）　生姜五两（切）　枳实四枚（炙）　大枣十二枚（劈）　大黄二两

上八味，以水一斗二升，煮取六升，去滓，再煎，温服二升，日三服。

【161】传太阴，脉濡而大，发热，下利，口渴，腹中急痛，宜茯苓白术厚朴石膏黄芩甘草汤。

茯苓白术厚朴石膏黄芩甘草汤方　茯苓四两　白术三两　厚朴四两　石膏半斤　黄芩三两　甘草二两（炙）

上六味，以水一斗，煮取五升，每服一升五合余，日三服。

【162】传少阴，脉沉细而数，手足时厥时热，咽中痛，小便难，宜附子细辛黄连黄芩汤。

附子细辛黄连黄芩汤方　附子大者一枚（炮，去皮，破八片）　细辛二两　黄连四两　黄芩二两

上四味，以水六升，煮取三升，温服一升，日三服。

【163】传厥阴，脉沉弦而急，发热时悚，心烦呕逆，宜桂枝当归汤，吐蛔[①]者，宜乌梅丸。

桂枝当归汤方　桂枝二两　当归三两　半夏一升　芍药三两　黄柏二两　甘草二两（炙）

上六味，以水七升，煮取四升，去滓，分温三服。

---

① "蛔"：各本均作"蚘"，均改为"蛔"。后同。

乌梅丸方 乌梅三百枚 细辛六两 干姜十两 黄连十六两 当归四两 附子六两（炮去皮） 蜀椒四两（出汗） 桂枝六两（去皮） 人参六两 黄柏六两

上十味，异捣筛，合治之，以苦酒渍乌梅一宿，去核蒸之，五斗米下，饭熟，捣成泥，和药令相得，纳臼中，与蜜杵二千下，丸如梧子大，先食饮服十丸，日三服。稍加至二十丸，禁生冷滑物臭食等。

以上皆传经脉证并治之正法也。若入腑及脏为传经变病，治列后条。

【163】若两感于寒者，一日太阳受之，即与少阴俱病，则头痛、口干、烦满而渴，脉时浮时沉、时数时细，大青龙汤加附子主之。

大青龙加附子汤方 麻黄六两（去节） 桂枝二两（去皮） 甘草二两（炙） 杏仁四十枚（去皮尖） 生姜三两（切） 大枣十枚（劈） 石膏如鸡子大 附子一枚（炮，去皮，破八片）

上八味，以水九升，先煮麻黄，减二升，去上沫，纳诸药，煮取三升，去滓，温服一升，取微似汗，汗出多者温粉粉之，一服汗者，停后服；若复服，汗多亡阳，遂虚，恶风、烦躁不得眠也。

【164】二日阳明受之，即与太阴俱病，则腹满身热，不欲食，谵语，脉时高时卑、时强时弱，宜大黄石膏茯苓白术枳实甘草汤

大黄石膏茯苓白术枳实甘草汤方 大黄四两 石膏一斤 茯苓三两 白术四两 枳实三两 甘草三两（炙）

上六味，以水八升，煮取五升，温分三服。

【165】三日少阳受之，即与厥阴俱病，则耳聋，囊缩而厥，水浆不入，脉乍弦乍急、乍细乍散，宜当归附子汤主之。

当归附子汤方　当归四两　附子大者一枚（炮，去皮，破八片）　人参三两　黄连三两　黄柏三两

上五味，以水六升，煮取三升，温服一升，日三服。

【166】以上皆传经变病，多不可治。不知人者，六日死。若三阴三阳、五脏六腑皆受病，则荣卫不行、脏腑不通而死矣。所谓两感于寒不免于死者，其在斯乎！其在斯乎！

【167】若不加异气者，至七日太阳病衰，头痛少愈也；八日阳明病衰，身热少歇也；九日少阳病衰，耳聋微闻也；十日太阴病衰，腹减如故，则思饮食；十一日少阴病衰，渴止舌干，已而嚏；十二日厥阴病衰，囊纵，少腹微下，大气皆去，病人精神爽慧也。若过十三日以上，不间，尺寸陷者，大危。若更感异气，变为他病者，当依坏病证法而治之。若脉阴阳俱盛，重感于寒者，变成温疟。阳脉浮滑，阴脉濡弱，更伤于风者，变为风温。阳脉洪数，阴脉实大，更遇温热者，变为温毒。温毒，病之最重者也。阳脉濡弱，阴脉弦紧，更遇温气者，变为温疫。以此冬伤于寒，发为温病，脉之变证，方治如说。

【168】凡人有疾，不时即治，隐忍冀差，以成痼疾，小儿、女子，益以滋甚。时气不和，便当早言，寻其邪由，及在腠理，以时治之，罕有不愈者。患人忍之，数日乃说，邪气入脏，则难为制。

【169】凡作汤药，不可避晨夕，觉病须臾，即宜便治，

不等早晚，则易愈矣；如或差迟，病即传变，虽欲除治，必难为力；服药不如方法，纵意违师，不须治之。

【170】凡伤寒之病，多从风寒得之，始表中风寒，入里则不消矣，未有温覆当而不消散者。不在证治，拟欲攻之，犹当先解表，乃可下之；若表未解，而内不消，必非大满，犹有寒热，则不可下；若表已解，而内不消，大满，大实，腹坚，中有燥屎，自可下之；虽四五日，数下之，不能为祸也。若不宜下，而便攻之，则内虚热入，协热遂利，烦躁诸变，不可胜数，轻者因笃，重者必死矣。

【171】夫阳盛阴虚，汗之则死，下之则愈；阳虚阴盛，汗之则愈，下之则死。如是，则神丹安可以误发，甘遂何可以妄攻？虚盛之治，相背千里，吉凶之机，应若影响，岂容易哉！况桂枝下咽，阳盛即毙；承气入胃，阴盛以亡，死生之要，在乎须臾，视身之尽，不暇计日。此阴阳虚实之交错，其候至微；发汗吐下之相反，其祸至速。而医术浅狭，懵然不知病源，为治乃误，使病者殒殁，自谓其分，至令冤魂塞于冥路，死尸盈于旷野，仁者鉴此，岂不痛欤！

【172】凡两感病俱作，治有先后，发表攻里，本自不同，而执迷用意者，乃云神丹、甘遂，合而饮之，且解其表，又除其里，言巧似是，其理实违。夫智者之举措也，常审以慎；愚者之动作也，必果而速。安危之变，岂可诡哉？世上之士，但务彼翕习之荣，而莫见此倾危之败，惟明者居然，能护其本，近取诸身，夫何远焉？

【173】凡发汗温暖汤药，其方虽言日三服，若病剧不解，当促其间，可半日中尽三服。若与病相阻，即便有所觉。病重者，一日一夜，当晬时观之。如服一剂，病证犹

在，故当复作本汤服之；至有不能汗出，服三剂乃解；若汗不出者，死病也。

【174】凡得时气病，至五六日，而渴欲饮水，饮不能多，不当与也，何者？以腹中热尚少，不能消之，便更与人，作病也。至七八日，大渴欲饮水者，犹当依证而与之，与之时常令不足，勿极意也。言能饮一斗，与五升。若饮而腹满，小便不利，若喘若哕，不可与之也。忽然大汗出，是为自愈也。

【175】凡得病，反能饮水，此为欲愈之病。其不晓病者，但闻病饮水者自愈，小渴者，乃强与饮之，因成其祸，不可复救也。

【176】凡得病，厥脉动数，服汤更迟，脉浮大减小，初躁后静，此皆愈证也。

【177】凡治温病，可刺五十九穴。又身之穴，三百六十有五，其三十穴，灸之有害；七十九穴，刺之为灾，并中髓也。

【178】脉四损，三日死。平人一息，病人脉一至，名曰四损。

【179】脉五损，一日死。平人二息，病人脉一至，名曰五损。

【180】脉六损，一时死。平人三息，病人脉一至，名曰六损。

【181】四损，经气绝；五损，腑气绝；六损，脏气绝。真气不行于经，曰经气绝；不行于腑，曰腑气绝；不行于脏，曰脏气绝。经气绝则四肢不举，腑气绝则不省人事，脏气绝则一身尽冷。

【182】脉盛身寒，得之伤寒；脉虚身热，得之伤暑。脉阴阳俱盛，大汗出，下之不解者死。脉阴阳俱虚，热不止者死；脉至乍数乍疏者死；脉至如转索，按之不易者，其日死。谵言妄语，身微热，脉浮大，手足温者生；逆冷，脉沉细者，不过一日死矣。此以前是伤寒热病证候也。

【183】脉濡而弱，弱反在关，濡反在巅；微反在上，涩反在下。微则阳气不足，涩则无血。阳气反微，中风汗出，而反躁烦。涩则无血，厥而且寒，阳厥发汗，躁不得眠。阳微则不可下，下之则心下痞鞭。

【184】动气在右，不可发汗。发汗则衄而渴，心苦烦，饮水即吐。

【185】动气在左，不可发汗。发汗则头眩，汗不止则筋惕肉瞤。

【186】动气在上，不可发汗。发汗则气上冲，止于心下。

【187】动气在下，不可发汗。发汗则无汗可发，心中大烦，骨节疼痛，目眩恶寒，食则吐谷，气不得前。

【188】咽中闭塞，不可发汗。发汗则吐血，气微欲绝，手足厥冷，欲得蜷卧，不能自温。

【189】诸脉得数动微弱者，不可发汗，发汗则大便难，腹中干，胃燥而烦，其形相象，根本异源。

【190】脉濡而弱，弱反在关，濡反在巅；弦反在上，微反在下。弦为阳运，微为阴寒。上实下虚，意欲得温。微弦为虚，不可发汗，发汗则寒栗，不能自还。咳而发汗，其咳必剧，数吐涎沫，咽中必干，小便不利，心中饥烦，晬时而发，其形似疟，有寒无热，虚而寒栗，蜷而苦满，

腹中复坚，命将难全。

【191】厥逆脉紧，不可发汗。发汗声乱、咽嘶、舌萎、声不得前。

【192】诸逆发汗，病微者难差，剧者必死。

【193】凡发汗，欲令遍身漐漐微似汗，不可令如水流漓。若病不解，当重发汗。若汗多者，不得重发汗，亡阳故也。

【194】凡服汤发汗，中病便止，不必尽剂。

【195】凡用吐汤，中病便止，不必尽剂。

【196】诸四逆厥者，不可吐之；虚家亦然。

【197】凡病胸上诸实，胸中郁郁而痛，不能食，欲使人按之，而反有涎唾，下利十余行，其脉反涩，寸口脉微滑，此可吐之，吐之利则止。

【198】宿食在上脘者，当吐之。

【199】动气在右，不可下之。下之则津液内竭，咽燥鼻干，头眩心悸也。

【200】动气在左，不可下之。下之则腹内拘急，食饮不下，动气更剧，虽有身热，卧则欲蜷。

【201】动气在上，不可下之。下之则掌中热烦，身上浮冷，热汗自泄，欲得水自灌。

【202】动气在下，不可下之。下之则腹胀满，卒起头眩，食则下利清谷，心下痞。

【203】咽中闭塞，不可下之。下之则上轻下重，水浆不下，卧则欲蜷，身急痛，下利日数十行。

【203】诸外实者，不可下之。下之则发微热，若亡脉厥者，当脐握热。

【204】诸虚者，不可下之。下之则大渴，求水者易愈，恶水者剧。

【205】脉濡而弱，弱反在关，濡反在巅，弦反在上，微反在下。弦为阳运，微为阴寒。上实下虚，意欲得温。微弦为虚，虚者不可下也。微弦为咳，咳则吐涎，下之则咳止，而利因不休，利不休则胸中如虫啮，粥入则出，小便不利，两胁拘急，喘息为难，颈背相引，臂则不仁，极寒反汗出，身冷若冰，眼睛不慧，语言不休，而谷气多入，此为除中，口虽欲言，舌不得前。

【206】脉濡而弱，弱反在关，濡反在巅，浮反在上，数反在下。浮为阳虚，数为无血。浮为虚，数生热。浮为虚，自汗出而恶寒，振而寒栗；微弱在关，胸下为急，喘汗而不得呼吸；数为痛，呼吸之中痛在于胁，振寒相搏，形如疟状，医反下之，故令脉数发热，狂走见鬼，心下为痞，小便淋漓，小腹甚鞕，小便尿血也。

【207】脉濡而紧，濡则卫气微，紧则荣中寒。阳微卫中风，发热而恶寒；荣紧胃气冷，微呕心内烦。医谓有大热，解肌而发汗，亡阳虚烦躁，心下苦痞坚，表里俱虚竭，卒起而头眩，客热在皮肤，怅怏不得眠。不知胃气冷，紧寒在关元，技巧无所施，汲水灌其身，客热应时罢，栗栗而振寒，重被而复之，汗出而冒巅，体惕而又振，小便为微难。寒气因水发，清谷不容闲，呕变反肠出，颠倒不得安，手足为微逆，身冷而内烦，迟欲从后救，安可复追还。

【208】脉浮而紧，浮则为风，紧则为寒，风则伤卫，寒则伤荣，荣卫俱病，骨节烦疼，当发其汗，而不可下也。

【209】脉浮而大，心下反鞕，有热，属脏者，攻之，

不令发汗；属腑者，不令溲数。溲数则大便鞕，汗多则越甚。脉迟者，尚未可攻也。

【210】伤寒，脉阴阳俱紧，恶寒发热，则脉欲厥。厥者，脉初来大，渐渐小，更来渐大，是其候也。如此者恶寒，甚者，翕翕汗出，喉中痛；若热多者，目赤脉多，睛不慧，医复发之，咽中则伤；若复下之，则两目闭，寒多便清谷，热多便脓血；若熏之，则身发黄；若熨之，则咽燥。若小便利者，可救之；小便难者，危殆也。

【211】伤寒发热，口中勃勃气出，头痛目黄，衄不可制，阴阳俱虚，贪水者必呕，恶水者厥。若下之，则咽中生疮；假令手足温者，必下重便脓血。头痛目黄者，下之则目闭。贪水者，下之则脉厥，其声嘤嘤，咽喉塞，汗之则战栗。恶水者，下之则里冷，不嗜食，大便完谷出，汗之则口中伤，舌上白苔，烦躁，脉反数，不大便六七日，后必便血，小便不利也。

【212】凡服下汤，得利便止，不必尽剂。

此以前是汗吐下三法之大要也。若能于此例之外，更神而明之，斯道其庶几乎？

杂病例第五

【213】问曰：上工治未病，何也？师曰：夫治未病者，见肝之病，知肝传脾，当先实脾。四季脾旺不受邪，即勿补之。中工不晓相传，见肝之病，不解实脾，惟治肝也。夫肝之病，补用酸，助用焦苦，益用甘味之药调之。酸入肝，焦苦入心，甘入脾。脾能伤肾，肾气微弱，则水不行；

水不行，则心火气盛，心火气盛则伤肺；肺被伤，则金气不行；金气不行，则肝气盛，肝必自愈。此治肝补脾之要妙也。肝虚则用此法，实则不可用之。经曰："勿虚虚，勿实实，补不足，损有余。"是其义也。余脏准此。

【214】夫人禀五常，因风气而生长。风气虽能生万物，亦能害万物，如水能浮舟，亦能覆舟。若五脏元真通畅，人即安和。客气邪风，中人多死。千般灾①难，不越三条；一者，经络受邪，入于脏腑，为内所因也；二者，四肢九窍，血脉相传，壅塞不通，为外皮肤所中也；三者，房室、金刃、虫兽所伤。以此详之，病由多尽。若人能养慎，不令邪风干忤经络，适中经络，未流传脏腑，即医治之；四肢才觉重滞，即导引、吐纳、针灸、膏摩，勿令九窍闭塞；更能无犯王法、禽兽灾伤，房室勿令竭乏，服食节其冷热苦酸辛甘，不遗形体有衰，病则无由入其腠理。腠者，是三焦通会元真之处，为血气所注；理者，是皮肤脏腑之纹理也。

【215】问曰：病人有气色见于面部，愿闻其说。师曰：鼻头色青，腹中痛，苦冷者死；鼻头色微黑者，有水气；色黄者，胸上有寒；色白者，亡血也。设微赤非时者死。其目正圆者痉，不治。又色青为痛，色黑为劳，色赤为风，色黄者便难，色鲜明者有留饮。

【216】师曰：语声寂寂然喜惊呼者，骨节间病；语声暗暗然不彻者，心膈间病；语声啾啾然细而长者，头中病。

【217】师曰：息摇肩者，心中坚；息引胸中上气者，

---

① "灾"：他本多作"疢"。

咳；息张口短气者，肺痿唾沫。

【218】师曰：吸而微数者，其病在中焦，实也，下之即愈；虚者不治。在上焦者，其吸促；在下焦者，其吸远。此皆难治。呼吸动摇振振者，不可治也。

【219】师曰：寸口脉动者，因其旺时而动。假令肝旺色青，四时各随其色，肝色青而反白，非其时也。色脉非时，法皆当病。

【220】问曰：有未至而至，有至而不至，有至而不去，有至而太过，何谓也？师曰：冬至之后，甲子夜半少阳起，少阳之时，阳始生，天得温和。以未得甲子，天因温和，此末至而至也；以得甲子，而天犹未温和，此为至而不至也；以得甲子，而天大寒不解，此为至而不去也；以得甲子，而天温如盛夏五六月时，此为至而太过也。

【221】问曰：经云"厥阳独行"，何谓也？师曰：此为有阳无阴，故称厥阳。

【222】问曰：寸脉沉大而滑，沉则为实，滑则为气，实气相搏，血气入脏即死，入腑即愈，此为卒厥，何谓也？师曰：唇口青，身冷，为入脏，即死[①]；身和，自汗出，为入腑，即愈。

【223】问曰：脉脱，入脏即死，入府即愈，何谓也？师曰：非为一病，百病皆然。譬如浸淫疮，从口流向四肢者，可治；从四肢流来入口者，不可治。病在外者可治，入里者即死。

【224】问曰：阳病十八，何谓也？师曰：头，项痛，

---

① 此处，《白云阁本》和《会通本》皆有一"如"字。

腰，脊，臂，脚掣痛。阴病十八，何谓也？师曰：咳，上气，喘，哕，咽痛，肠鸣，胀满，心痛，拘急。脏病三十六，腑病三十六，合为一百八病。此外五劳、七伤、六极、妇人三十六病，不在其中。

【225】清邪居上，浊邪居下；大邪中表，小邪中里；谷饪之邪，从口入者，宿食也。

【226】问曰：病有急当救里、救表者，何谓也？师曰：病，医下之，续得下利清谷不止，身体疼痛者，急当救里；后身疼痛，清便自调者，急当救表也。

【227】夫病痼疾加以卒病，当先治其卒病，后乃治其痼疾也。

【228】师曰：五脏病，各有所得者，愈；五脏病各有所恶，各随其所不喜为病。如病者素不喜食，而反暴思之，必发热也。

【229】夫病在诸脏，欲攻，当随其所得而攻之。如渴者，与猪苓汤。余仿此。

【230】夫病者手足寒，上气脚缩，此六腑之气绝于外也。下利不禁，手足不仁者，此五脏之气绝于内也。内外气绝者，死，不治。

【231】师曰：热在上焦者，因咳为肺痿；热在中焦者，为腹坚；热在下焦者，则尿血，或为淋秘不通。大肠有寒者，多鹜溏；有热者，便肠垢。小肠有寒者，其人下重便脓血；有热者，必痔。

【232】问曰：三焦竭，何谓也？师曰：上焦受中焦之气，中焦未和，不能消谷，故上焦竭者，必善噫；下焦承中焦之气，中气未和，谷气不行，故下焦竭者，必遗溺

失便。

【233】问曰：病有积、有聚、有谷气，何谓也？师曰：积者，脏病也，终不移处；聚者，腑病也，发作有时，展转移痛；谷气者，胁下痛，按之则愈，愈而复发，为䅽气。诸积之脉，沉细附骨。在寸口，积在胸中；微出寸口，积在喉中；在关者，积在脐旁；上关上，积在心下；微出下关，积在少腹；在尺中，积在气冲；脉出左，积在左；脉出右，积在右；脉左右俱出，积在中央。各以其部处之。

伤寒杂病论卷第四

温病脉证并治第六

【234】温病有三：曰春温，曰秋温，曰冬温。此皆发于伏气，夏则病暑，而不病温。

【235】冬伤于寒，其气伏于少阴，至春乃发为温病，名曰春温。夏伤于湿，其气伏于太阴，至秋燥乃大行，发为温病，名曰秋温。气不当至而至，初冬乃大寒，燥以内收，其气伏于厥阴，冬至后，天应寒而反温，发为温病，名曰冬温。

【237】春秋病温，此其常；冬时病温，此其变。冬时应寒而反大温，此非其时而蓄其气，及时不病，至春乃发，名曰大温。此由冬不藏精，气失其正，春时阳气外发，二气相搏，为病则重。医又不晓病源，为治乃误。尸气流传，遂以成疫。

【238】病春温，其气在上，头痛，咽干，发热，目眩，甚则谵语，脉弦而急，小柴胡加黄连牡丹汤主之。

小柴胡加黄连牡丹汤方　柴胡半斤　黄芩三两　人参三两　栝蒌根四两　黄连三两　牡丹皮四两　甘草三两（炙）　生姜三两　大枣十二枚（劈）

上九味，以水一斗二升，煮取三升，去滓，温服一升，日三服。

【239】病秋温，其气在中，发热口渴，腹中热痛。下利便脓血，脉大而短涩，地黄知母黄连阿胶汤主之；不便脓血者，白虎汤主之。

地黄知母黄连阿胶汤方　地黄八两　知母四两　黄连三两　阿胶一两

上四味，以水一斗，先煮三味，取三升，去滓，纳胶烊消。温服一升，日三服。

白虎汤方　知母六两　石膏一斤（碎，绵裹）　甘草二两（炙）　粳米六合

上四味，以水一斗，煮米熟汤成，去滓，温服一升，日三服。

【240】病冬温，其气在下，发热，腹痛引少腹，夜半咽中干痛，脉沉实，时而大数，石膏黄连黄芩甘草汤主之；不大便六七日者，大黄黄芩地黄牡丹汤主之。

石膏黄连黄芩甘草汤方　石膏半斤（碎）　黄连三两　黄芩四两　甘草二两

上四味，以水一斗，煮取三升，温服一升，日三服。

大黄黄芩地黄牡丹汤方　大黄四两　黄芩三两　地黄四两　牡丹皮三两

上四味，以水一斗二升，煮取二升，去滓，分温二服。大便利，止后服。

【241】病温，头痛，面赤，发热，手足拘急，脉浮弦而数，名曰风温，黄连黄芩栀子牡丹芍药汤主之。

黄连黄芩栀子牡丹芍药汤方　黄连三两　黄芩三两

栀子十四枚（劈）　牡丹三两　芍药三两

上五味，以水六升，煮取三升，去滓，温服一升，日三服。

【242】病温，其人素有湿，发热唇焦，下利，腹中热痛，脉大而数，名曰湿温，猪苓加黄连牡丹汤主之。

猪苓加黄连牡丹汤方　猪苓一两　茯苓一两　阿胶一两　泽泻一两　滑石一两　黄连一两　牡丹一两

上七味，以水四升，先煮六味，取二升，去滓，纳胶烊消，分温再服。

【243】病温，舌赤，咽干，心中烦热，脉急数，上寸口者，温邪干心也，黄连黄芩阿胶甘草汤主之。

黄连黄芩阿胶甘草汤方　黄连一两　黄芩一两　阿胶一两　甘草一两

上四味，以水一斗，先煮三味，取四升，去滓，纳胶烊消，分温三服。

【244】病温，口渴，咳嗽，衄①不止，脉浮而数大，此温邪乘肺也，黄芩石膏杏子甘草汤主之。

黄芩石膏杏子甘草汤方　黄芩三两　石膏半斤（碎）杏仁十四枚（去皮尖）　甘草一两（炙）

右四味，以水五升，煮取三升，去滓，温服一升，日三服。

【245】病温，发热，腰以下有水气，甚则少腹热痛，小便赤数，脉急而数，下尺中者，此温邪移肾也，地黄黄

---

① "衄"：《白云阁本》和《会通本》此处均无"衄"字。《伤寒汲古》此节作"病温，口渴，咳嗽，衄不可制，脉浮短而数者，温邪乘肺也，黄芩石膏杏子汤主之"。

柏秦皮茯苓泽泻汤主之。

地黄黄柏秦皮茯苓泽泻汤方　地黄六两　黄柏三两秦皮二两　茯苓三两　泽泻一两

上五味，以水八升，煮取三升，去滓，温服一升，日三服。

【246】病大温，发热，头晕，目眩，齿枯，唇焦，谵语，不省人事，面色乍青乍赤，脉急大而数者，大黄香蒲汤主之；若喉闭难下咽者，针少商令出血；若脉乍疏乍数，目内陷者死。

大黄香蒲汤方　大黄四两　香蒲一两　黄连三两　地黄半斤　牡丹皮六两

上五味，以水一斗，煮取六升，去滓，温服二升，日三服。

【247】温病，下之，大便溏，当自愈；若下之利不止者，必腹满，宜茯苓白术甘草汤主之①。

茯苓白术甘草汤方　茯苓四两　白术三两　甘草一两（炙）

上三味，以水八升，煮取三升，去滓，温服一升，日三服。

【248】风温者，因其人素有热，更伤于风，而为病也，脉浮弦而数。若头不痛者，桂枝去桂加黄芩牡丹汤主之。若伏气病温，误发其汗，则大热烦冤，唇焦，目赤，或衄，或吐，耳聋，脉大而数者，宜白虎汤；大实者，宜承气辈；若至十余日则入于里，宜黄连阿胶汤。何以知其入里？以

---

①　此处，《白云阁本》和《会通本》均无"主之"二字。

脉沉而数，心烦不卧，故知也（白虎汤方见前）。

桂枝去桂加黄芩牡丹汤方　芍药三两　甘草二两（炙）　生姜三两（切）　大枣十二枚（劈）　黄芩三两　牡丹皮三两

上六味，以水八升，煮取三升，去滓，温服一升，日三服。

大承气汤方　大黄四两（酒洗）　厚朴半斤（制）　枳实五枚（炙）　芒硝三合

上四味，以水一斗，先煮二物，取五升，去滓，纳大黄更煮取二升，去滓，纳芒硝，更上微火，一两沸，分温再服。得下，余勿服。

小承气汤方　大黄四两（酒洗）　厚朴二两（制）　枳实三枚大者（炙）

上三味，以水四升，煮取一升二合，去滓，分温二服，初服当更衣，不尔尽饮之；若更衣者，勿服之。

调胃承气汤方　大黄四两（酒洗）　甘草二两（炙）　芒硝半斤

上三味，以水三升，煮二物至一升，去滓，纳芒硝，更上微火煮令沸，少少温服之。

黄连阿胶汤方　黄连四两　芍药二两　黄芩二两　阿胶三两　鸡子黄三枚

上五味，以水六升，先煮三物，取二升，去滓，纳阿胶烊消，小冷，纳鸡子黄，搅令相得，温服七合，日三服。

【249】病温，治不得法，留久移于三焦，其在上焦，则舌蹇，神昏，宜栀子汤；其在中焦，则腹痛而利，利后腹痛，唇口干燥，宜白虎加地黄汤；其在下焦，从腰以下

热，齿黑，咽干，宜百合地黄牡丹皮①半夏茯苓汤。

栀子汤方 栀子十六枚（劈） 黄芩三两 半夏半斤
甘草二两

上四味，以水四升，先煮栀子，取二升半，去滓，纳
三味，煮取一升，分温再服。

白虎加地黄汤方 知母六两 石膏一斤（碎，绵裹）
甘草二两（炙） 粳米六合 地黄六两

上五味，以水一斗，煮米熟汤成，去滓，温服一升，
日三服。

百合地黄牡丹皮半夏茯苓汤方 百合七枚（劈） 地黄
汁一升 牡丹皮六两 半夏一升 茯苓四两

上五味，先以水洗百合，渍一宿，当白沫出，去其水；
别以水二升，煮取一升，去滓；别以泉水四升，煮三味，
取二升，去滓，纳地黄汁，与百合汁，更上火令沸，温服
一升，日三服。

---

① 《白云阁本》和《会通本》均无"皮"字，《伤寒汲古》有"皮"字。据
《广西六零本》统计，有"皮"字者共三方，无"皮"字者共八方。

伤寒杂病论卷第五

伤暑病脉证并治第七

【250】伤暑，肺先受之。肺为气府，暑伤元气，寸口脉弱，口渴，汗出，神昏，气短，竹叶石膏汤主之。

竹叶石膏汤方　竹叶两把　粳米半升　半夏半升（洗）　石膏一斤　人参三两　麦门冬一升　甘草二两（炙）

上七味，以水一斗，先煮六味，取六升，去滓，纳粳米，煮取米熟，汤成，温服一升，日三服。

【251】伤暑，发热，汗出，口渴，脉浮而大，名曰中暍，白虎加人参黄连阿胶汤主之。

白虎加人参黄连阿胶汤方　知母六两　石膏一斤（碎，绵裹）　甘草二两（炙）　粳米六合　人参三两　黄连三两　阿胶二两

上七味，以水一斗，先煮六味，米熟汤成，去滓，纳胶烊消，温服一升，日三服。

【252】伤暑，汗出已，发热，烦躁，声嘶，脉反浮数者，此为肺液伤，百合地黄加牡蛎汤主之。

百合地黄加牡蛎汤方　百合七枚　地黄汁一升　牡蛎二两

上三味，先以水洗百合，渍一宿，当白沫出，去其水，另以泉水二升，煮二味，取一升，去滓，纳地黄汁，煮取一升五合，分温再服。

【253】伤暑，心下有水气，汗出，咳嗽，渴欲饮水，水入则吐，脉弱而滑，栝蒌茯苓汤主之。

栝蒌茯苓汤方　栝蒌大者一枚（共皮子捣）　茯苓三两　半夏三两（洗）　黄连二两　甘草一两（炙）

上五味，以水五升，煮取二升，温服一升，日再服。

【254】伤暑，发热，无汗，水行皮中故也，脉必浮而滑，先以热水灌之，令汗出，后以竹茹半夏汤与之。

竹茹半夏汤方　竹茹二两　栝蒌根二两　茯苓三两　半夏半升（洗）

上四味，以水五升，煮取三升，分温三服。

【255】太阳中热者，暍是也，其人汗出，恶寒，身热而渴，白虎加人参汤主之。

白虎加人参汤方　知母六两　石膏一两（碎，绵裹）　甘草二两（炙）　粳米六合　人参三两

上五味，以水一斗，煮米熟汤成，去滓，温服一升，日三服。

【256】太阳中暍，身热，疼重，而脉微弱者，以夏月伤冷水，水行皮中所致也，猪苓加人参汤主之，一物瓜蒂汤亦主之。

猪苓加人参汤方　猪苓一两　茯苓一两　滑石一两　泽泻一两　阿胶一两　人参三两

上六味，以水四升，先煮五味，取二升，纳阿胶烊消，温服七合，日三服。

一物瓜蒂汤方　瓜蒂二十个

上剉，以水一升，煮取五合，去滓，顿服。

【257】凡病暑者，当汗出。不汗出者，必发热。发热者，必不汗出也。不可发汗，发汗则发热，烦躁，失声，此为肺液枯。息高气贲者，不治。

【258】伤暑，夜卧不安，烦躁，谵语，舌赤，脉数，此为暑邪干心也，黄连半夏石膏甘草汤主之。

黄连半夏石膏甘草汤方　黄连三两　半夏半升　石膏一斤（碎，绵裹）　甘草二两（炙）

上四味，以水五升，煮取三升，去滓，温服一升，日三服。

【259】太阳中暍，发热，恶寒，身重疼痛，其脉弦细芤迟，小便已，洒洒然毛耸，手足逆冷；小有劳身即热；口开，前板齿燥；若发汗，则恶寒甚；加温针，则发热甚；数下之，则淋甚。白虎加桂枝人参芍药汤主之。

白虎加桂枝人参芍药汤方　知母六两　石膏一斤（碎，绵裹）　甘草二两（炙）　粳米六合　桂枝一两（去皮）　人参三两　芍药二两

上七味，以水八升，煮米熟汤成，温服一升，日三服。

【260】伤暑，脉弱，口渴，大汗出，头晕者，人参石膏汤主之。

人参石膏汤方　人参三两　石膏一斤（碎，绵裹）　竹叶一把　黄连一两　半夏半升（洗）

上五味，以水六升，煮取三升，去滓，温服一升，日三服。

【261】伤暑者，头不痛。头痛者风也，头重者湿也。

热病脉证并治第八

【262】热之为病，有外至，有内生。外至可移，内有定处，不循经序，舍于所合，与温相似，根本异源。传经化热，伏气变温，医多不晓，认为一体，如此杀人，莫可穷极。为子条记，传与后贤。

【263】热病，面赤，口烂，心中痛，欲呕，脉洪而数，此热邪干心也，黄连黄芩泻心汤主之。

黄连黄芩泻心汤方 黄连三两 黄芩二两

上二味，以水二升，煮取一升，分温再服。

【264】热病，身热，左胁痛，甚则狂言乱语，脉弦而数，此热邪乘肝也，黄连黄芩半夏猪胆汁汤主之。

黄连黄芩半夏猪胆汁汤 黄连二两 黄芩三两 半夏一升（洗） 猪胆大者一枚（取汁）

上四味，以水六升，先煮三味，取三升，去滓，纳胆汁和合，令相得，分温再服。

【265】热病，腹中痛，不可按，不能俯仰，大便难，脉数而大，此热邪乘脾也，大黄厚朴甘草汤主之。

大黄厚朴甘草汤方 大黄四两 厚朴六两 甘草三两

上三味，以水五升，煮取二升，服一升，得大便利，勿再服。

【266】热病，口渴，喘，嗽，痛引胸中，不得太息，脉短而数，此热邪乘肺也，黄连石膏半夏甘草汤主之。

黄连石膏半夏甘草汤方 黄连一两 石膏一斤（碎，绵裹） 半夏半升（洗） 甘草三两

上四味，以水六升，煮取三升，去滓，温服一升，日三服。

【267】热病，咽中干，腰痛，足热，脉沉而数，此热邪移肾也，地黄黄柏黄连半夏汤主之。

地黄黄柏黄连半夏汤方 地黄半斤　黄柏六两　黄连三两　半夏一升（洗）

上四味，以水八升，煮取三升，去滓，温服一升，日三服。

湿病脉证并治第九

【268】湿气为病，内外上下，四处流行，随邪变化，各具病形，按法诊治，勿失纪纲。湿气在上，中于雾露，头痛，项强，两额疼痛，脉浮而涩者，黄芪桂枝茯苓细辛汤主之。

黄芪桂枝茯苓细辛汤方 黄芪三两　桂枝二两（去皮）　茯苓三两　细辛一两

上四味，以水五升，煮取三升，去滓，温服一升，日三服。

【269】湿气在下，中于水冷，从腰以下重，两足肿，脉沉而涩者，桂枝茯苓白术细辛汤主之。

桂枝茯苓白术细辛汤方 桂枝三两（去皮）　茯苓四两　白术三两　细辛二两

上四味，以水六升，煮取二升，去滓，温服一升，日再服。

【270】湿气在外，因风相搏，流于经络，骨节烦疼，

卧不欲食，脉浮缓，按之涩，桂枝汤微发其汗，令风湿俱去；若恶寒，身体疼痛，四肢不仁，脉浮而细紧，此为寒气并，桂枝麻黄各半汤主之。

桂枝汤方 桂枝三两（去皮） 芍药三两 甘草二两（炙） 生姜三两（切） 大枣十二枚（劈）

上五味，㕮咀，以水七升，微火煮取三升，去滓，适寒温，服一升。服已，须臾，啜热稀粥一升余，以助药力，温覆令一时许，遍身漐漐，微似有汗者益佳，不可令如水流漓，病必不除。若一服汗出，病差，停后服，不必尽剂。若不汗，更服依前法；又不汗，后服小促其间，半日许，令三服尽；若病重者，一日一夜服，周时观之。服一剂尽，病证犹在者，更作服；若汗不出，乃服至二三剂。禁生冷、黏滑、肉面、五辛、酒酪、臭恶等物。

麻黄汤方 麻黄三两（去节） 桂枝三两（去皮） 甘草一两（炙） 杏仁七十枚（去皮尖）

上四味，以水九升，先煮麻黄减二升，去上沫，纳诸药，煮取二升半，去滓，温服八合，覆取微似汗，不须啜粥，余如桂枝法将息。

桂枝麻黄各半汤方 即桂枝汤三合，麻黄汤三合，并为六合，顿服之，将息如桂枝汤法。

【271】湿气在内，与脾相搏，发为中满，胃寒相将，变为泄泻。中满，宜白术茯苓厚朴汤；泄泻，宜理中汤；若上干肺，发为肺寒，宜小青龙汤；下移肾，发为淋漓，宜五苓散；流于肌肉，发为黄肿，宜麻黄茯苓汤；若流于经络，与热气相乘，则发痈脓。脾胃素寒，与湿久留，发为水饮；与燥相搏，发为痰饮，治属饮家。

白术茯苓厚朴汤方　白术三两　茯苓四两　厚朴二两（炙，去皮）

上三味，以水五升，煮取一升五合，去滓，分温再服。

麻黄茯苓汤方　麻黄二两（去节）　茯苓三两　白术三两　防己一两　赤小豆一升

上五味，以水七升，先煮麻黄再沸，去上沫，纳诸药，煮取三升，去滓，温服一升，日三服。

理中汤方　人参三两　干姜三两　白术三两　甘草三两（炙）

上四味，以水八升，煮取三升，去滓，温服一升，日三服。

小青龙汤方　麻黄三两（去节）　芍药三两　细辛三两　桂枝三两（去皮）　干姜三两　半夏半升（洗）　甘草三两　五味子半升

上八味，以水一斗，先煮麻黄减二升，去上沫，纳诸药，煮取三升，去滓，温服一升，日三服。

五苓散方　猪苓十八铢（去皮）　泽泻一两六铢　茯苓十八铢　桂枝半两（去皮）　白术十八铢

上五味，捣为散，以白饮和服方寸匙，日三服，多饮暖水，汗出愈。

【272】太阳病，关节疼痛而烦，脉沉而细者，此名湿痹；湿痹之候，其人小便不利，大便反快，但当利其小便。

【273】湿家之为病，一身尽疼，发热，身色如熏黄。

【274】湿家，其人但头汗出，背强，欲得被覆向火，若下之早，则哕；胸满，小便不利，舌上滑苔者，以丹田有热，胸中有寒，渴欲得水，而不能饮，口燥烦也。

【275】湿家下之，额上汗出，微喘，小便利者死；若下利不止者亦死。

【276】问曰：风湿相搏，一身尽疼，法当汗出而解，值天阴雨不止，医云此可发汗，汗之病不愈者何也？师曰：发其汗，汗大出者，但风气去，湿气在，是故不愈也。若治风湿者，发其汗，但微微似欲汗出者，风湿俱去也。

【277】湿家病，身上尽疼痛，发热，面黄而喘，头痛，鼻塞而烦，其脉大，自能饮食，腹中和无病，病在头中寒湿，故鼻塞，纳药鼻中则愈。

鼻塞方 蒲灰　细辛　皂荚　麻黄

上四味，等分为末，调和，纳鼻中小许，嚏则愈。

【278】湿家，身烦疼，可与麻黄加术汤发其汗为宜，慎不可以火攻之。

麻黄加术汤方 麻黄三两（去节）　桂枝二两（去皮）甘草一两（炙）　白术四两　杏仁七十个（去皮尖）

上五味，以水九升，先煮麻黄减二升，去上沫，纳诸药，煮取二升半，去滓，温服八合，覆取微汗，不得汗再服，得汗停后服。

【279】病者一身尽疼，发热，日晡所剧者，此名风湿。此病伤于汗出当风，或久伤取冷所致也，可与麻黄杏仁薏苡甘草汤。

麻黄杏仁薏苡甘草汤方 麻黄一两　杏仁二十枚（去皮尖）　薏苡一两　甘草一两（炙）

上四味，以水六升，先煮麻黄，去上沫，纳诸药，煮取三升，去滓，温服一升，日三服。

【280】风湿，脉浮，身重，汗出，恶风者，防己黄芪

汤主之。

　　防己黄芪汤方　防己二两　甘草一两（炙）　白术一两　黄芪二两　生姜一两　大枣十二枚（劈）

　　上六味，以水一斗，煮取五升，去滓，再煎取三升，温服一升，日三服。喘者加麻黄五分；胃中不和者，加芍药三分；气上冲者，加桂枝三分；下有陈寒者，加细辛三分。服后当如虫行皮中，从腰下如冰，后坐被上，又以一被绕之，温令有微汗差。

　　【281】伤寒八九日，风湿相搏，不能自转侧，不呕，不渴，脉浮虚而涩者，桂枝附子汤主之；若大便坚，小便自利者，白术附子汤主之。

　　桂枝附子汤方　桂枝四两（去皮）　附子二枚（炮）　甘草二两（炙）　生姜三两（切）　大枣十二枚（劈）

　　上五味，以水六升，煮取三升，去滓，分温三服。

　　白术附子汤方　白术一两　附子一枚（炮）　甘草二两（炙）　生姜一两半　大枣六枚（劈）

　　上五味，以水三升，煮取一升，去滓，分温三服。一服觉身痹，半日许再服，三服都尽，其人如冒状，勿怪，即术附并走皮中，逐水气，未得除耳。

　　【282】风湿相搏，骨节疼烦，掣痛，不得屈伸，近之则痛剧，汗出，短气，小便不利，恶风，不欲去衣，或身微肿者，甘草附子汤主之。

　　甘草附子汤方　甘草二两（炙）　附子二枚（炮，去皮）　白术二两　桂枝四两（去皮）

　　上四味，以水六升，煮取三升，去滓，温服一升，日三服。初服得微汗则解；能食，汗出，复烦者，服五合；

恐一升多者，服六七合为佳。

伤燥病脉证并治第十

【283】伤燥，肺先受之，出则大肠受之，移传五脏，病各异形，分别诊治，消息脉经。

【284】燥病，口渴，咽干，喘，咳，胸满痛，甚则唾血，脉浮短而急，此燥邪干肺也，竹叶石膏杏子甘草汤①主之；若移于大肠，则大便难，口渴，欲饮热，脉急大，在下者，麻仁白蜜煎主之。

竹叶石膏杏子甘草汤方　竹叶一把　石膏半斤　杏仁三十枚（去皮尖）　甘草二两

上四味，以水五升，煮取三升，去滓，温服一升，日三服。

麻仁白蜜煎方　麻仁一升　白蜜六合

上二味，以水四升，先煮麻仁，取一升五合，去滓，纳蜜，微沸，和合，令小冷，顿服之。

【285】燥病，口烂，气上逆，胸中痛，脉大而涩，此燥邪乘心也，栀子连翘甘草栝蒌汤主之。

栀子连翘甘草栝蒌汤方　栀子十四枚（劈）　连翘二两　甘草二两　栝蒌根四两

上四味，以水七升，煮取三升，去滓，温服一升，日三服。

【286】燥病，目赤，口苦，咽干，胁下痛，脉弦而数，

---

①　"竹叶石膏杏子甘草汤"：《白云阁本》和《会通本》作"柏叶石膏杏子甘草汤"，方中"竹叶一把"为"柏叶三两"。

此燥邪乘肝也，黄芩牡丹皮栝蒌半夏枳实汤主之。

　　黄芩牡丹皮栝蒌半夏枳实汤方　黄芩三两　牡丹皮二两　栝蒌实大者一枚（捣）　半夏半升（洗）　枳实二枚

　　上五味，以水五升，煮取三升，去滓，温服一升，日三服。

　　【287】燥病，色黄，腹中痛不可按，大便难，脉数而滑，此燥邪乘脾也，白虎汤主之。

　　白虎汤方　知母六两　石膏一斤（碎，绵裹）　甘草二两（炙）　粳米六合

　　上四味，以水一斗，煮米熟汤成，去滓，温服一升，日三服。

　　【288】燥病，咽干，喉痛，少腹急痛，小便赤，脉沉而急，此燥邪移肾也，地黄黄柏茯苓栝蒌汤主之。

　　地黄黄柏茯苓栝蒌汤方　地黄六两　黄柏三两　茯苓三两　栝蒌根四两

　　上四味，以水六升，煮取三升，去滓，温服一升，日三服。

伤风病脉证并治第十一

　　【289】风为百病之长，中于面，则下阳明，甚则入脾；中于项，则下太阳，甚则入肾；中于侧，则下少阳，甚则入肝；病变不一，慎毋失焉。

　　【290】风病，头痛，多汗，恶风，腋下痛，不可转侧，脉浮弦而数，此风邪干肝也，小柴胡汤主之；若流于腑，则口苦，呕逆，腹胀，善太息，柴胡枳实芍药甘草汤

主之。

小柴胡汤方　柴胡半斤　黄芩三两　人参三两　半夏半升（洗）　甘草三两（炙）　生姜三两（切）　大枣十二枚（劈）

上七味，以水一斗二升，煮取六升，去滓，再煎取三升，温服一升，日三服。

柴胡枳实芍药甘草汤方　柴胡八两　芍药三两　枳实四枚（炙）　甘草三两（炙）

上四味，以水一斗，煮取六升，去滓，再煎取三升，温服一升，日三服。

【291】风病，胸中痛，胁支满，膺背肩胛间痛，嗌干，善噫，咽肿，喉痹，脉浮洪而数，此风邪乘心也，黄连黄芩麦冬桔梗甘草汤主之。

黄连黄芩麦冬桔梗甘草汤方　黄连一两（半①）　黄芩三两　麦门冬二两　桔梗三两　甘草二两（炙）

上五味，以水六升，煮取三升，去滓，温服一升，日三服。

【292】风病，四肢懈惰，体重，不能胜衣，胁下痛引肩背，脉浮而弦涩，此风邪乘脾也，桂枝去桂加茯苓白术汤主之；若流于腑，则腹满而胀，不嗜食，枳实厚朴白术甘草汤主之。

桂枝去桂加茯苓白术汤方　芍药三两　甘草二两（炙）　茯苓三两　白术三两　生姜三两（切）　大枣十二枚（劈）

---

① "（半）"：《会通本》无"半"字，《白云阁本》有"半"字，但没有括弧。

上六味，以水八升，煮取三升，去滓，温服一升，日三服。

枳实厚朴白术甘草汤方　枳实四枚（炙）　厚朴二两（炙，去皮）　白术三两　甘草一两（炙）

上四味，以水六升，煮取三升，去滓，温服一升，日三服。

【293】风病，咳而喘息有音，甚则唾血，嗌干，肩背痛，脉浮弦而数，此风邪乘肺也，桔梗甘草枳实芍药汤主之；若流于大肠，则大便燥结，或下血，桔梗甘草枳实芍药加地黄牡丹汤主之。

桔梗甘草枳实芍药汤方　桔梗三两　甘草二两　枳实四枚　芍药三两

上四味，以水六升，煮取三升，去滓，温服一升，日三服。

桔梗甘草枳实芍药加地黄牡丹汤方　桔梗三两　甘草二两　枳实四枚　芍药三两　地黄三两　牡丹皮二两

上六味，以水六升，煮取三升，去滓，温服一升，日三服。

【294】风病，面目浮肿，脊痛不能正立，隐曲不利，甚则骨痿，脉沉而弦，此风邪乘肾也，柴胡桂枝汤主之。

柴胡桂枝汤方　桂枝一两半（去皮）　芍药一两半　甘草一两（炙）　柴胡四两　半夏二合半　人参一两半　黄芩一两半　生姜一两半　大枣六枚（劈）

上九味，以水七升，煮取三升，去滓，温服一升，日三服。

寒病脉证并治第十二

【295】寒之为病，肾先受之，其客于五脏之间，脉引而痛；若客于八虚之室，则恶血住留，积久不去，变而成著，可不慎欤！

【296】寒病，骨痛，阴痹，腹胀，腰痛，大便难，肩背颈项引痛，脉沉而迟，此寒邪干肾也，桂枝加葛根汤主之；其著也，则两腘痛，甘草干姜茯苓白术汤主之。

桂枝加葛根汤方 桂枝三两（去皮） 芍药三两 甘草二两（炙） 生姜三两（切） 大枣十二枚（劈） 葛根四两

上六味，先以水七升，煮葛根去上沫，纳诸药，煮取三升，去滓，温服一升，日三服，不须啜粥，余如桂枝将息及禁忌法。

甘草干姜茯苓白术汤方 甘草二两（炙） 白术二两 干姜四两 茯苓四两

上四味，以水五升，煮取三升，去滓，温服一升，日三服。

【297】寒病，两胁中痛，寒中行善掣节，逆则头痛，耳聋，脉弦而沉迟，此寒邪乘肝也，小柴胡汤主之；其著也，则两腋急痛，不能转侧，柴胡黄芩芍药半夏甘草汤主之。

小柴胡汤（方见伤风）

柴胡黄芩芍药半夏甘草汤方 柴胡四两 黄芩三两 芍药二两 甘草二两（炙） 半夏二两（洗）

上五味，以水五升，煮取三升，去滓，分温三服。

【298】寒病，胸胁支满，膺背肩胛间痛，甚则喜悲，时发眩，仆而不知人，此寒邪乘心也，通脉四逆汤主之；其著也，则肘外痛，臂不能伸，甘草泻心汤主之。

通脉四逆汤方 甘草二两（炙） 附子大者一枚（生用，破） 干姜三两 人参二两

上四味，以水三升，煮取一升二合，去滓，分温再服。

甘草泻心汤方 甘草四两（炙） 黄芩三两 干姜三两 半夏半升（洗） 人参三两 黄连一两 大枣十二枚（劈）

上七味，以水一斗，煮取六升，去滓，再煎取三升，温服一升，日三服。

【299】寒病，腹满肠鸣，食不化，飱泄，甚则足痿不收，脉迟而涩，此寒邪乘脾也，理中汤主之；其著也，则髀枢强痛，不能屈伸，枳实白术茯苓甘草汤主之。

理中汤方 人参三两 干姜三两 甘草三两 白术三两

上四味，以水八升，煮取三升，去滓，分温三服。

枳实白术茯苓甘草汤方 枳实四枚 白术三两 茯苓三两 甘草一两（炙）

上四味，以水六升，煮取三升，去滓，分温三服。

【300】寒病，喘，咳，少气，不能报息，口唾涎沫，耳聋，嗌干，此寒邪乘肺也，脉沉而迟者，甘草干姜汤主之；其著也，则肘内痛，转侧不便，枳实橘皮桔梗半夏生姜甘草汤主之。

甘草干姜汤方 甘草四两（炙） 干姜二两（炮）

上二味，以水三升，煮取一升五合，去滓，分温再服。

枳实橘皮桔梗半夏生姜甘草汤方　枳实四枚　橘皮二两　桔梗三两　半夏半升（洗）　生姜三两（切）　甘草二两（炙）

上六味，以水八升，煮取三升，去滓，温服一升，日三服。

伤寒杂病论卷第六

辨太阳病脉证并治上

【301】太阳之为病，脉浮，头项强痛而恶寒。

【302】太阳病，发热，汗出，恶风，脉缓者，名为中风。

【303】太阳病，或已发热，或未发热，必恶寒，体痛，呕逆，脉阴阳俱紧者，名曰伤寒。

【304】伤寒一日，太阳受之，脉若静者为不传；颇欲吐，若躁烦，脉数急者，此为传也。

【305】伤寒二三日，阳明、少阳证不见者，此为不传也。

【306】太阳病，发热而渴，不恶寒者，为温病；若发汗已，身灼热者，名曰风温。风温为病，脉阴阳俱浮，自汗出，身重，多眠睡，鼻息必鼾，语言难出。若被下者，小便不利，直视失溲；若被火者，微发黄色，剧则如惊痫，时瘛疭；若火熏之，一逆尚引日，再逆促命期。

【307】病有发热恶寒者，发于阳也；无热恶寒者，发

于阴也。发于阳者七日愈，发于阴者六日愈。①

【308】太阳病，头痛至七日以上自愈者，以行其经尽故也。若欲作再经者，针足阳明，使经不传则愈。

【309】太阳病欲解时，从巳至未上。

【310】风家表解而不了了者，十二日愈。

【311】病人身大热，反欲得衣者，热在皮肤，寒在骨髓也。

【312】病人身大寒，反不欲近衣者，寒在皮肤，热在骨髓也。

【313】太阳中风，阳浮而阴弱。阳浮者，热自发；阴弱者，汗自出。啬啬恶寒，淅淅恶风，翕翕发热，鼻鸣干呕者，桂枝汤主之。

桂枝汤方 桂枝三两（去皮） 芍药三两 甘草二两（炙） 生姜三两（切） 大枣十二枚（劈）

上五味，㕮咀，以水七升，微火煮取三升，去滓，适寒温，服一升。服已，须臾，啜热稀粥一升余，以助药力，温覆令一时许，遍身漐漐，微似有汗者益佳，不可令如水流漓，病必不除。若一服汗出，病差，停后服，不必尽剂；若不汗，更服依前法；又不汗，后服小促其间，半日许，令三服尽；若病重者，一日一夜服，周时观之。服一剂尽，病证犹在者，更作服；若汗不出，乃服至二三剂。禁生冷、黏滑、肉面、五辛、酒酪、臭恶等物。

【314】太阳病，头痛，发热，汗出，恶风，桂枝汤主之（方见前）。

---

① 此句，在《成本》和《会通本》均作"发于阳者七日愈，发于阴这六日愈，以阳数七，阴数六，故也"。

【315】太阳病，项背强几几^①，及汗出、恶风者，桂枝加葛根汤主之。

桂枝加葛根汤方　葛根四两　芍药二两　桂枝二两（去皮）　甘草二两（炙）　生姜三两（切）　大枣十二枚（劈）

上六味，以水一斗，先煮葛根减二升，去上沫，纳诸药，煮取三升^②，去滓，温服一升，覆取微似汗，不须啜粥，余如桂枝法将息及禁忌。

【316】太阳病，下之后，其气上冲者，可与桂枝汤。方用前法；若不上冲者，不可与之。

【317】太阳病三日，已发汗，若吐，若下，若温针，仍不解者，此为坏病，桂枝不可与也。观其脉证，知犯何逆，随证治之。

【318】桂枝汤本为解肌，若其人脉浮紧，发热，汗不出者，不可与也。常须识此，勿令误也。若酒客病，亦不可与桂枝汤，得之必呕，以酒客不喜甘故也。

【319】喘家作，桂枝汤加厚朴、杏子与之佳。

【320】凡服桂枝汤吐者，其后必吐脓血也。

【321】太阳病，发汗，遂漏不止，其人恶风，小便难，四肢微急，难以屈伸者，桂枝加附子汤主之。

桂枝加附子汤方　桂枝三两（去皮）　芍药三两　甘草二两（炙）　生姜三两　大枣十二枚（劈）　附子一枚（炮，去皮，破八片）

上六味，以水七升，煮取三升，去滓，温服一升，日

---

① "几几"：《白云阁本》和《会通本》均作"几几"。

② "三升"：《白云阁本》和《会通本》均作"二升"。

三服，将息如桂枝汤法。

【322】太阳病，下之后，脉促，胸满者，桂枝去芍药汤主之。

桂枝去芍药汤方 桂枝三两（去皮） 甘草二两（炙）生姜三两 大枣十二枚（劈）

上四味，以水七升，煮取三升，去滓，温服一升，日三服。将息如桂枝汤法。

【323】太阳病，下之后，其人恶寒者，桂枝去芍药加附子汤主之。

桂枝去芍药加附子汤方 桂枝三两（去皮） 甘草二两（炙） 生姜三两（切） 大枣十二枚（劈） 附子一枚（炮，去皮，破八片）

上五味，以水七升，煮取三升，去滓，温服一升，日三服，将息如桂枝汤法。

【324】太阳病，得之八九日，如疟状，发热恶寒，热多寒少，其人不呕，清便欲自可，一日二三度发。脉微缓者，为欲愈也。脉微而恶寒，此阴阳俱虚，不可更发汗、更吐下也；面色反有热色者，未欲解也，以其不能得小汗出，身必痒，宜桂枝麻黄各半汤。

桂枝麻黄各半汤方 即桂枝汤三合，麻黄汤三合，并为六合，顿服之，将息如桂枝汤法。

【325】太阳病，初服桂枝汤，反烦不解者，先刺风府、风池，却与桂枝汤。

【326】太阳病，服桂枝汤后，大汗出，脉洪大者，与白虎汤；若形如疟，一日再发者，宜桂枝二麻黄一汤。

白虎汤方 知母六两 石膏一斤（碎，绵裹） 甘草二

两（炙）　粳米六合

上四味，以水一斗，煮米熟汤成，去滓，温服一升，日三服。

桂枝二麻黄一汤方　即桂枝汤二升，麻黄汤一升，合为三升，每服一升，日三服，将息如桂枝汤法。

【327】太阳病，服桂枝汤后，大汗出，大烦渴，脉洪大者，白虎加人参汤主之。

白虎加人参汤方　即白虎汤加人参三两。

【328】太阳病，发热恶寒，热多寒少。若脉微弱者，此无阳也，不可发汗；脉浮大者①，宜桂枝二越婢一汤方。

桂枝二越婢一汤方　桂枝（去皮）　芍药　麻黄　甘草（炙）各十八铢　大枣四枚（劈）　生姜一两二铢（切）　石膏二十四铢（碎，绵裹）

上七味，以水六升，煮麻黄，去上沫，纳诸药，煮取三升，去滓，温服一升，日三服。

【329】太阳病，服桂枝汤，或下之，仍头项强痛，翕翕发热，无汗，心下满，微痛，小便不利者，桂枝去桂加茯苓白术汤主之。

桂枝去桂加茯苓白术汤方　芍药三两　甘草二两（炙）　生姜三两（切）　大枣十二枚（劈）　茯苓三两　白术三两

上六味，以水八升，煮取三升，去滓，温服一升，日三服。

---

① "脉浮大者"：《会通本》无此四字，《白云阁本》有此四字。《长沙古本》此条作"太阳病，发热恶寒，热多寒少，宜桂枝二越婢一汤。若脉微弱者，此无阳也，不可发汗，宜当归四逆汤"。

【330】伤寒脉浮，自汗出，小便数，心烦，微恶寒，脚挛急，反与桂枝汤欲攻其表，此误也。得之便厥、咽中干、烦燥、吐逆者，作甘草干姜汤与之，以复其阳；若厥愈、足温者，更作芍药甘草汤与之，其脚即伸；若胃气不和，谵语者，少与调胃承气汤；若重发汗，复加烧针者，四逆汤主之。

甘草干姜汤方　甘草四两（炙）　干姜二两（炮）

上二味，以水三升，煮取一升五合，去滓，分温再服。

芍药甘草汤方　芍药四两　甘草四两（炙）

上二味，以水三升，煮取一升五合，去滓，分温再服。

调胃承气汤方　甘草一两（炙）　芒硝半斤　大黄四两（酒洗）

上三味，以水三升，煮二物，取一升，去滓，纳芒硝，更上火一两沸，顿服之。

四逆汤方　人参二两　甘草二两（炙）　干姜一两半　附子一枚（炮[1]，去皮，破八片）

上四味，以水三升，煮取一升二合，去滓，分温再服。强人可大附子一枚，干姜三两。

【331】问曰：太阳病，其证备，按桂枝法治之而增剧，厥逆，咽中干，烦躁，吐逆，谵语，其故何也？师曰：此阳旦证，不可攻也。寸口脉浮，浮则风，亦为虚，风则生热，虚则挛急，误攻其表，则汗出亡阳，汗多则液枯，液枯则筋挛，阳明内结，则烦躁谵语。用甘草、干姜以复其阳，芍药、甘草以救液，调胃承气以止其谵语，此坏病之

---

[1]　"炮"：四逆汤中附子当生用，该书惟此处炮用。

治，必随脉证也。

【332】阳旦证①，发热不潮，汗出，咽干，昏睡不安，夜半反静者，宜地黄半夏牡蛎酸枣仁汤主之；若口渴，烦躁，小便赤，谵语者，竹叶石膏黄芩泽泻半夏甘草汤主之。

地黄半夏牡蛎酸枣仁汤方　地黄六两　半夏半升（洗）　牡蛎二两　酸枣仁三两

上四味，以水四升，煮取二升②，分温再服。

竹叶石膏黄芩泽泻半夏甘草汤方　竹叶两把　石膏半斤（绵裹)③　黄芩三两　泽泻二两　半夏半升（洗）甘草二两

上六味，以水五升，煮取三升，去滓，温服一升，日三服。

---

① "证"：《白云阁本》和《会通本》均作"病"。
② 《白云阁本》和《会通本》于此处均有"去滓"二字。
③ 《白云阁本》和《会通本》于此处均有"碎"字。

伤寒杂病论卷第七

辨太阳病脉证并治中

【333】太阳病，项背强几几，无汗、恶风者，葛根汤主之。

葛根汤方 葛根四两 麻黄三两（去节） 桂枝二两（去皮） 芍药二两 甘草二两（炙） 生姜三两（切） 大枣十二枚（劈）

上七味，以水一斗，先煮麻黄葛根，减二升，去上沫，纳诸药，煮取三升，去滓，温服一升，覆取微似汗，不须啜粥，余如桂枝法将息及禁忌。诸汤皆仿此。

【334】太阳与阳明合病者，必自下利，葛根汤主之；若不下利，但呕者，葛根加半夏汤主之。

葛根加半夏汤方 葛根四两 麻黄三两（去节） 桂枝三两（去皮） 芍药二两 甘草二两（炙） 生姜三两（切） 大枣十二枚（劈） 半夏半升（洗）

上八味，以水一斗，先煮葛根、麻黄，减二升，去上沫，纳诸药，煮取三升，去滓，温服一升，覆取微似汗，余如桂枝法。

【335】太阳病，桂枝证，医反下之，利遂不止，脉

促者，热①未解也；喘而汗出者，葛根黄连黄芩甘草汤主之。

葛根黄连黄芩甘草汤方　葛根半斤　黄连三两　黄芩三两　甘草二两（炙）

上四味，以水八升，先煮葛根减二升，去上沫，纳诸药，煮取二升，去滓，分温再服。

【336】太阳病，头痛，发热，身疼，腰痛，骨节疼痛，恶风，无汗而喘者，麻黄汤主之。

麻黄汤方　麻黄三两（去节）　桂枝二两（去皮）　甘草一两（炙）　杏仁七十个（去皮尖）

上四味，以水九升，先煮麻黄减二升，去上沫，纳诸药，煮取二升半，去滓，温服八合。覆取微似汗，不须啜粥，余如桂枝法将息。

【337】太阳与阳明合病，喘而胸满者，不可下，宜麻黄汤（方见上）。

【338】太阳病，十日已去，脉浮细而嗜卧者，外已解也，设胸满，胁痛，与小柴胡汤；脉但浮者，与麻黄汤（方见上）。

小柴胡汤方　柴胡半斤　黄芩三两　人参三两　甘草三两（炙）　生姜三两（切）　大枣十二枚（劈）　半夏半升（洗）

上七味，以水一斗二升，煮取六升，去滓，再煮取三升，温服一升，日三服。

【339】太阳伤寒，脉浮紧，发热恶寒，身疼痛，不汗

---

① "热"：《长沙古本》及他本多作"表"。

出而烦躁者，大青龙汤主之。若脉微弱，汗出恶风者，不可服之，服之则厥逆，筋惕肉瞤，此为逆也。

大青龙汤方 麻黄六两（去节） 桂枝二两（去皮） 甘草二两（炙） 杏仁四十枚（去皮尖） 生姜三两（切） 大枣十二枚（劈） 石膏如鸡子大（碎）

上七味，以水九升，先煮麻黄减二升，去上沫，纳诸药，煮取三升，去滓，温服一升。取微似汗。汗多者，温粉粉之。一服汗出，停后服。若复服，汗多亡阳，遂虚，恶风，烦躁，不得眠也。

【340】太阳中风，脉浮缓，身不疼，但重，乍有轻时，无少阴证者，大青龙汤发之（方见上）。

【341】伤寒，表不解，心下有水气，干呕，发热而咳，或渴或利，或噎或小便不利，少腹满，或喘者，小青龙汤主之。

小青龙汤方 麻黄三两（去节） 芍药三两 细辛三两 桂枝三两（去皮） 干姜三两 甘草三两 五味子半升 半夏半升（洗）

上八味，以水一斗，先煮麻黄减二升，去上沫，纳诸药，煮取三升，去滓。温服一升，日三服。若渴去半夏，加栝蒌根三两；若微利，若噎者，去麻黄，加附子一枚；若小便不利，少腹满者，去麻黄，加茯苓四两；若喘者，加杏仁半升（去皮尖）。

【342】伤寒，心下有水气，咳而微喘，发热不渴，服汤已渴者，此寒去欲解也，小青龙汤主之（方见上）。

【343】太阳病，外证未解，脉浮弱者，当以汗解，宜桂枝汤（方见上卷）。

【344】太阳病，下之微喘者，表未解故也，桂枝加厚朴杏子①汤主之。

桂枝加厚朴杏子汤方 桂枝三两（去皮） 芍药三两 甘草二两（炙） 生姜三两（切） 大枣十二枚（劈） 厚朴二两 杏仁五十枚（去皮尖）

上七味，以水七升，微火煮取三升，去滓，温服一升，覆取微似汗。

【345】太阳病，外证未解，不可下也，下之为逆；欲解外者，宜桂枝汤（方见上卷）。

【346】太阳病，先发汗不解，而复下之，脉浮者，不愈。浮为在外，而反下之，故令不愈。今脉浮，故知在外，当须解外则愈，宜桂枝汤（方见上卷）。

【347】太阳病，脉浮紧，无汗，发热，身疼痛，八九日不解，表证仍在，此当发其汗。服药已，微除，其人发烦目瞑。剧者必衄，衄乃解，所以然者，阳气重故也，麻黄汤主之（方见上）。

【348】太阳病，脉浮紧，发热，身无汗，自衄者愈。

【349】二阳并病，太阳初得病时，发其汗，汗先出不彻，因转属阳明，续自微汗出，不恶寒。若太阳病证不罢者，不可下，下之为逆，如此可小发其汗。设面色缘缘正赤者，阳气怫郁在表也，当解之熏之；若发汗不彻，彻不足言，阳气怫郁不得越，当汗之。不汗，则其人烦燥，不知痛处，乍在腹中，乍在四肢，按之不可得，更发汗则愈。若其人短气但坐者，以汗出不彻故也，何以知汗出不彻？

---

① "杏子"：他本有作"杏仁"者。

以脉涩故知之也。

【350】脉浮紧者，法当汗出而解。若身重心悸者，不可发汗，须自汗出乃愈。所以然者，尺中脉微，此里虚也。须里实，津液自和，便自汗出愈。

【351】脉浮紧者，法当身疼痛，宜以汗解之。假令尺中迟者，不可发汗。何以然者，以荣气不足，血弱故也。

【352】脉浮者，病在表，可发汗，宜麻黄汤（方见上）。

【353】脉浮而紧者，可发汗，宜麻黄汤（方见上）。

【354】病人常自汗出者，此为荣气和，卫气不谐也。所以然者，荣行脉中，卫行脉外，卫气不共荣气和谐故也。复发其汗则愈，宜桂枝汤（方见上卷）。

【355】病人脏无他病，时发热自汗出，而不愈者，此卫气不和也。先其时发汗则愈，宜桂枝汤（方见上卷）。

【356】伤寒，脉浮紧，不发汗，因致衄者，麻黄汤主之（方见上）。

【357】伤寒，不大便六七日，头痛有热者，与承气汤；其小便清者，知不在里，仍在表也，当须发汗，宜桂枝汤（方见上卷）。

【358】伤寒，发汗已解，半日许复烦，脉浮紧者，可更发汗，宜桂枝汤（方见上卷）。

【359】凡病若发汗、若吐、若下、若亡血、亡津液，阴阳自和者，必自愈。

【360】大汗之后，复下之，小便不利者，亡津液故也，勿治之，久久小便必自利。

【361】大下之后，复发汗，其人必振寒，脉微细。所

以然者，内外俱虚故也。

【362】下之后，复发汗，昼日烦躁不得眠，夜而安静，不呕不渴，无表证，脉沉而微，身无大热者，干姜附子汤主之。

干姜附子汤方　干姜一两（炮）　附子一枚（破八片，炮）

上二味，以水三升，煮取一升，去滓，顿服。

【363】发汗后，身疼痛，脉沉迟者，桂枝去芍药加人参生姜汤主之。

桂枝去芍药加人参生姜汤　桂枝三两（去皮）　甘草二两（炙）　大枣十二枚（劈）　人参三两　生姜四两（切）

上五味，以水一斗二升，煮取三升，去滓，温服一升，日三服。

【364】发汗若下后，不可更行桂枝汤。汗出而喘，无大热者，可与麻黄杏仁甘草石膏汤。

麻黄杏仁甘草石膏汤方　麻黄四两（去节）　杏仁五十个（去皮尖）　甘草二两（炙）　石膏半斤（碎，绵裹）

上四味，以水七升，先煮麻黄，减二升，去上沫，纳诸药，煮取二升，去滓，温服一升。日再服。

【365】发汗过多，其叉手自冒心，心下悸欲得按者，桂枝甘草汤主之。

桂枝甘草汤方　桂枝四两（去皮）　甘草二两（炙）

上二味，以水三升，煮取一升，去滓，顿服。

【366】发汗后，其人脐下悸者，欲作奔豚也，茯苓桂枝甘草大枣汤主之。

茯苓桂枝甘草大枣汤方　茯苓半斤　桂枝四两（去

皮） 甘草二两（炙） 大枣十五枚（劈）

上四味，以甘澜水一斗，先煮茯苓，减二升，纳诸药，煮取三升，去滓，温服一升，日三服。作甘澜水法，取水二斗，置大盆内，以杓扬之，水上有珠子五六千颗相逐，取用之。

【367】奔豚病，从少腹上冲咽喉，发作欲死，复还止者，皆从惊恐得之。

【368】奔豚，气上冲胸，腹痛，往来寒热，奔豚汤主之。

奔豚汤方 甘草二两（炙） 芎藭二两 当归二两 黄芩二两 芍药二两 半夏四两（洗） 生姜四两（切） 葛根五两 桂枝三两（去皮）

上九味，以水二斗，煮取五升，温服一升，日三服，夜二服。

【369】发汗后，腹胀满者，厚朴生姜半夏甘草人参汤主之。

厚朴生姜半夏甘草人参汤方 厚朴半斤（炙，去皮）生姜半斤（切） 半夏半升①（洗） 甘草二两（炙） 人参一两

上五味，以水一斗，煮取三升，去滓，温服一升，日三服。

【370】伤寒，若吐、若下后，心下逆满，气上冲胸，起则头眩，脉沉紧，发汗则动经，身为振振摇者，茯苓桂枝白术甘草汤主之。

———————

① "升"：《白云阁本》和《会通本》均作"斤"。

茯苓桂枝白术甘草汤方　茯苓四两　桂枝三两（去皮）　白术二两　甘草二两（炙）

上四味，以水六升，煮取三升，去滓，分温三服。

【371】发汗，病不解，反恶寒者，虚故也，芍药甘草附子汤主之。

芍药甘草附子汤方　芍药三两　甘草三两（炙）　附子一枚（炮，去皮，破八片）

上三味，以水五升，煮取一升五合，去滓，分温二服。

【372】发汗，若下之，病仍不解，烦躁者，茯苓四逆汤主之。

茯苓四逆汤方　茯苓四两　人参二两　附子一枚（生用，去皮，破八片）　甘草二两（炙）　干姜一两半

上五味，以水五升，煮取三升①，去滓，温服七合，日三服。

【373】发汗后，恶寒者，虚故也；不恶寒，但热者②，实也，当和胃气，与调胃承气汤（方见上卷）。

【374】太阳病，发汗后，大汗出，胃中干，烦躁不得眠，欲得饮水，少少与之，令胃气和则愈。若脉浮，小便不利，微热，消渴者，五苓散主之。

五苓散方　猪苓（去皮）十八铢　泽泻一两六铢　白术十八铢　茯苓十八铢　桂枝（去皮）半两

上五味捣为散，以白饮和服方寸匙，日三服，多饮暖

---

① "三升"：《会通本》为"二升"；《白云阁本》印为"三升"，勘误为"二升"。《广西六零本》为"三升"。

② "但热者"：《会通本》作"但恶热者"，《成本》和《白云阁本》均无"恶"字。

水，汗出愈，如法将息。

【375】太阳病，发汗已，脉浮弦，烦渴者，五苓散主之（方见前）。

【376】伤寒，汗出而渴，小便不利者，五苓散主之；不渴者，茯苓甘草汤主之。

茯苓甘草汤方 茯苓二两　桂枝二两（去皮）　甘草一两（炙）　生姜三两（切）

上四味，以水四升，煮取二升，去滓，分温三服。

【377】中风发热，六七日不解而烦，有表里证，渴欲饮水，水入则吐者，名曰水逆，五苓散主之（方见上）。

【378】未持脉时，病人叉手自冒心，师因试教令咳，而不咳者，此必两耳聋无所闻也。所以然者，以重发汗，虚故也。

【379】发汗后，饮水多，必喘，以水灌之，亦喘。

【380】发汗后，水药不得入口，为逆。若更发汗，必吐下不止。

【381】发汗后及吐下后，虚烦不得眠，若剧者，必反覆颠倒，心中懊侬，栀子干姜汤主之。若少气者，栀子甘草豉汤主之。若呕者，栀子生姜豉汤主之。

栀子干姜汤方　栀子十四枚（劈）　干姜二两

上二味，以水三升半，煮取一升半，去滓，分温二服。进一服得吐者，止后服。

栀子甘草豉汤方　栀子十四枚（劈）　甘草二两（炙）香豉四合（绵裹）

上三味，以水四升，先煮栀子、甘草取二升半，纳豉煮取一升半，去滓，分二服。温进一服，得吐者，止后服。

栀子生姜豉汤方　栀子十四枚（劈）　生姜五两（切）香豉四合（绵裹）

上三味，以水四升，先煮栀子生姜取二升半，纳豉煮取一升半，去滓，分二服。温进一服，得吐者，止后服。

【382】发汗若下之，而烦热，胸中窒者，栀子豉汤主之。

栀子豉汤方　栀子十四枚（劈）　香豉四合（绵裹）

上二味，以水四升，先煮栀子得二升半，纳豉煮取一升半，去滓，分为二服。温进一服，得吐者，止后服。

【383】伤寒五六日，大下之后，身热不去，心中结痛者，未欲解也，栀子豉汤主之（方见上）。

【384】伤寒下后，心烦腹满，卧起不安者，栀子厚朴枳实汤主之。

栀子厚朴枳实汤方　栀子十四枚（劈）　厚朴四两（炙，去皮）　枳实四枚（水浸，炙令黄）

上三味，以水三升半，煮取一升半，去滓，分二服。温进一服，得吐者，止后服。

【385】伤寒，医以丸药大下之，身热不去，微烦者，栀子干姜汤主之（方见上）。

【386】凡用栀子汤，若病人大便旧微溏者，不可与之。

【387】太阳病，发汗，汗出不解，其人仍发热，心下悸，头眩身瞤动，振振欲擗地者，真武汤主之。

真武汤方　茯苓三两　芍药三两　生姜三两（切）　白术二两　附子一枚（炮，去皮，破八片）

上五味，要以水八升，煮取三升，去滓，温服七合，日三服。

【388】咽喉干燥者，不可发汗。

【389】淋家，不可发汗，发汗必便血。

【390】疮家，虽身疼痛，不可发汗。发汗则痉。

【391】衄家，不可发汗，汗出必额上陷，脉当紧，直视不能眴，不得眠。

【392】亡血家，不可发汗，发汗则寒栗而振。

【393】汗家，重发汗，必恍惚心乱，小便已阴疼，与禹余粮丸。

禹余粮丸方　禹余粮四两　人参三两　附子二枚　五味子三合　茯苓三两　干姜三两

上六味，蜜为丸，如梧子大，每服二十丸。

【394】病人有寒，复发汗，胃中冷，必吐逆。

【395】伤寒，未发汗，而复下之，此为逆也；若先发汗，治不为逆。本先下之，而反汗之，为逆；若先下之，治不为逆。

【396】伤寒，医下之，续得下利，清谷不止，身疼痛者，急当救里；后身疼痛，清便自调者，急当救表。救里宜四逆汤；救表宜桂枝汤（方见上卷）。

【397】太阳病，先下而不愈，因复发汗，以此表里俱虚，其人因致冒，冒家汗自出愈。所以然者，表和故也。里未和，然后复下之。

【398】太阳病未解，脉阴阳俱微者，必先振栗，汗出而解。但阳脉微者，先汗出而解；若阴脉实者，下之而解。若欲下之，宜调胃承气汤（方见上卷）。

【399】太阳病，发热汗出者，此为荣弱卫强，故使汗出，欲救邪风者，宜桂枝汤（方见上卷）。

【400】伤寒五六日，中风，往来寒热，胸胁苦满，嘿嘿不欲饮食，心烦喜呕，或胸中烦而不呕，或渴，或腹中痛，或胁下痞鞕，或心下悸，小便不利，或不渴，身有微热，或咳者，小柴胡汤主之。

小柴胡汤方 柴胡半斤　黄芩三两　人参三两　半夏半升（洗）　甘草三两（炙）　生姜三两（切）　大枣十二枚（劈）

上七味，以水一斗二升，煮取六升，去滓，再煎，取三升。温服一升，日三服。若胸中烦而不呕者，去半夏、人参，加栝蒌实一枚；若渴，去半夏，加人参合前成四两半，栝蒌根四两；若腹中痛者，去黄芩，加芍药三两；若胁下痞鞕，去大枣，加牡蛎四两；若心下悸，小便不利者，去黄芩，加茯苓四两；若不渴，外有微热者，去人参，加桂枝三两，温覆取微汗愈；若咳者，去人参、大枣，加五味子半升，去生姜，加干姜二两。

【401】血弱气尽，腠理开，邪气因入，与正气相搏，结于胁下，正邪纷争，往来寒热，休作有时，嘿嘿不欲饮食；脏腑相连，其痛必下，邪高痛下，故使呕也，小柴胡汤主之（方见上）。服柴胡汤已，渴者，属阳明也，以法治之。

【402】太阳病六七日，脉迟浮弱，恶风寒，手足温。医二三下之，不能食，胁下满痛，面目及身黄，颈项强，小便难者，与柴胡汤，后必下重。本渴而饮水呕者，柴胡不中与也；食谷者哕。

【403】伤寒四五日，身热恶风，颈项强，胁下满，手足温而渴者，小柴胡汤主之（方见上）。

【404】伤寒，阳脉涩，阴脉弦，法当腹中急痛，先与小建中汤。不差者，与小柴胡汤（方见上）。

小建中汤方 桂枝三两（去皮） 芍药六两 甘草二两① 生姜三两（切） 大枣十二枚（劈） 胶饴一升

上六味，以水七升，先煮五味，取三升，去滓，纳饴，更上微火消解。温服一升，日三服。呕家不可用，以甜故也。

【405】伤寒与中风，有柴胡证，但见一证便是，不必悉具。凡柴胡汤病证而误下之，若柴胡证不罢者，复与柴胡汤，必蒸蒸而振，却复发热，汗出而解。

【406】伤寒二三日，心中悸而烦者，小建中汤主之（方见上）。

【407】太阳病，过经十余日，反二三下之，后四五日，柴胡证仍在者，先与小柴胡汤。呕不止，心下急，郁郁微烦者，为未解也，与大柴胡汤下之则愈。

大柴胡汤方 柴胡半斤 黄芩三两 芍药三两 半夏半升（洗） 生姜五两（切） 枳实四枚（炙） 大枣十二枚（劈） 大黄二两

上八味，以水一斗二升，煮取六升，去滓，再煎，温服二升，② 日三服。

【408】伤寒十三日不解，胸胁满而呕，日晡所发潮热，已而微利，此本柴胡证，下之以不得利，今反利者，知医以丸药下之，非其治也。潮热者，实也，宜先服小柴胡汤

---

① 卷九、卷十三、卷十六均有小建中汤，皆用炙甘草，且用量均为三两。

② "再煎，温服二升"：《白云阁本》和本书卷三、卷九的大柴胡汤与此同。《会通本》和本书卷八则是"再煎，温服一升"，《成本》也与此同。

以解外，后以柴胡加芒硝汤主之。

柴胡加芒硝汤方　柴胡二两十六铢　黄芩一两　人参一两　甘草一两（炙）　生姜一两（切）　芒硝二两　大枣四枚　半夏二十铢

上八味，以水四升，煮取二升，去滓，纳芒硝，更煮微沸，分温再服。不解，更作。

【409】伤寒十三日，过经，谵语者，以有热也，当以汤下之。若小便利者，大便当鞕，而反下利，知医以丸药下之，非其治也。若自下利者，脉当微厥，今反和者，此为内实也，调胃承气汤主之（方见上卷）。

【410】太阳病不解，热结膀胱，其人如狂，血自下，下者愈。其外不解者，尚未可攻，当先解外；外解已，但少腹急结者，乃可攻之，宜桃仁承气汤。

桃仁承气汤方　桃仁五十个（去皮尖）　大黄四两　桂枝二两（去皮）　甘草二两（炙）　芒硝二两

上五味，以水七升，煮四味，取二升，去滓，纳芒硝，更上火微沸，下火，先食温服五合，日三服，当微利。

【411】伤寒八九日，下之，胸满烦惊，小便不利，谵语，一身尽重，不可转侧，柴胡加龙骨牡蛎汤主之。

柴胡加龙骨牡蛎汤方　柴胡四两　龙骨一两半　黄芩一两半　生姜一两半　人参一两半　桂枝一两半（去皮）　茯苓一两半　半夏二合半　大黄二两　牡蛎一两半　大枣六枚（劈）　铅丹一两半

上十二味，以水八升，煮取四升，纳大黄切如棋子，更煮一二沸，去滓，温服一升。日三服，夜一服。

【412】伤寒腹满，谵语，寸口脉浮而紧，关上弦者，

此肝乘脾也，名曰纵，刺期门。

【413】伤寒发热，啬啬恶寒，大渴欲饮水，其腹必满，自汗出，小便不利，寸口脉浮而涩，关上弦急者，此肝乘肺也，名曰横，刺期门。

【414】太阳病二日，烦躁，反熨其背而大汗出，火热入胃，胃中水竭，躁烦，必发谵语。十余日，振栗、自下利者，此为欲解也。若其汗从腰以下不得汗，欲小便不得，反呕，欲失溲，足下恶风，大便鞕，小便当数，而反不数又不多，大便已，头卓然而痛，其人足心必热，谷气下流故也。

【415】太阳病中风，以火劫发汗，邪风被火热，血气流溢，失其常度，两阳相熏灼，其身发黄。阳盛则欲衄，阴虚小便难，阴阳俱虚竭，身体则枯燥，但头汗出，剂颈而还，腹满微喘，口干咽烂，或不大便，久则谵语，甚者至哕，手足躁扰，捻衣摸床。小便利者，其人可治，宜人参地黄龙骨牡蛎茯苓汤

人参地黄龙骨牡蛎茯苓汤方　人参三两　地黄半斤
龙骨三两　牡蛎四两　茯苓四两

上五味，以水一斗，煮取三升，分温三服。

【416】伤寒脉浮，医以火迫劫之，亡阳，必惊狂，起卧不安者，桂枝去芍药加牡蛎龙骨救逆汤主之。

桂枝去芍药加牡蛎龙骨救逆汤方　桂枝三两（去皮）
甘草二两（炙）　生姜三两（切）　大枣十二枚（劈）　牡蛎五两（熬）　龙骨四两

上六味，以水一斗二升，煮取三升，去滓，温服一升，日三服。

【417】形似伤寒，其脉不弦紧而弱。弱者必渴，被火必谵语。弱而发热、脉浮者，解之，当汗出愈。

【418】太阳病，以火熏之，不得汗，其人必躁，到经不解，必清血，名为火邪。

【419】脉浮，热甚，反以火灸之，此为实。实以虚治，因火而动，必咽燥、唾血。

【420】微数之脉，慎不可灸，因火为邪，则为烦逆，追虚逐实，血散脉中，火气虽微，内攻有力，焦骨伤筋，血难复也。

【421】脉浮，宜以汗解，用火灸之，邪无从出，因火而盛，病从腰以下必重而痹，名火逆也。欲自解者，必当先烦，乃有汗而解，何以知之？脉浮故也。

【422】烧针令其汗，针处被寒，核起而赤者，必发奔豚。气从少腹上冲心者，灸其核上各一壮，与桂枝加桂汤。

桂枝加桂汤方　桂枝五两（去皮）　芍药三两　生姜三两（切）　甘草二两（炙）　大枣十二枚（劈）

上五味，以水七升，煮取三升，去滓。温服一升，日三服。

【423】火逆，下之，因烧针烦躁者，桂枝甘草龙骨牡蛎汤主之。

桂枝甘草龙骨牡蛎汤方　桂枝一两（去皮）　甘草二两（炙）　龙骨二两　牡蛎二两（熬）

上四味，以水五升，煮取三升，去滓。温服一升，日三服。甚者，加人参三两。

【424】太阳伤寒者，加温针，必惊也。

【425】太阳病，当恶寒发热，今自汗出，反不恶寒发

热，关上脉细数者，以医吐之过也。一二日吐之者，腹中饥，口不能食；三四日吐之者，不喜糜粥，欲食冷食，朝食暮吐，此为小逆。若不恶寒，又不欲近衣者，此为内烦。皆医吐之所致也。

【426】病人脉数，数为热，当消谷。今引食而反吐者，此以发汗，令阳气微，膈气虚，脉乃数也。数为客热，故不能消谷，以胃中虚冷，故吐也。

【427】太阳病，过经十余日，心中温温欲吐，胸中痛，大便反溏，腹微满，郁郁微烦。先其时，自极吐下者，与调胃承气汤（方见上卷）；若不尔者，不可与之。若但欲呕，胸中痛，微溏者，此非柴胡证。所以然者，以呕故知极吐下也。

【428】太阳病六七日，表证仍在，脉微而沉，反不结胸，其人发狂者，以热在下焦，少腹当鞕满，小便自利者，下血乃愈。所以然者，以太阳随经，瘀热在里故也，抵当汤主之。

抵当汤方 水蛭三十个（熬）　虻虫三十个（去翅足，熬）　桃仁二十个（去皮尖）　大黄三两（酒洗）

上四味，以水五升，煮取三升，去滓，温服一升，不下更服。

【429】太阳病，身黄，脉沉结，少腹鞕，小便不利者，为无血也；小便自利，其人如狂者，血证谛也，抵当汤主之（方见前）。

【430】伤寒，有热，少腹满，应小便不利；今反利者，为有血也，当下之，可不余药，宜抵当丸。

抵当丸方 水蛭二十个（熬）　虻虫二十个（去翅足

熬）　桃仁二十五个（去皮尖）　大黄三两（酒洗）

上四味，捣分为四丸，以水一升，煮一丸，取七合服之，晬时当下血。若不下者，更服。

【431】太阳病，小便利者，以饮水多，必心下悸。小便少者，必苦里急也。

伤寒杂病论卷第八

辨太阳病脉证并治下

【432】问曰：病有脏结，有结胸，其状何如？师曰：寸脉浮，关脉小细沉紧者，名曰脏结也。按之痛，寸脉浮，关脉沉，名曰结胸也。

【433】何谓脏结？师曰：脏结者，五脏各具，寒热攸分，宜求血分，虽有气结，皆血为之。假令肝脏结，则两胁痛而呕，脉沉弦而结者，宜吴茱萸汤。若发热不呕者，此为实，脉当沉弦而急，桂枝当归牡丹皮桃仁枳实汤主之。

吴茱萸汤方 吴茱萸一升 人参三两 生姜六两 大枣十二枚（劈）

上四味，以水七升，煮取二升，去滓，温服七合，日三服。

桂枝当归牡丹皮桃仁枳实汤方 桂枝三两（去皮） 当归二两 牡丹皮三两 桃仁二十枚（去皮尖） 枳实二两

上五味，以水八升，煮取三升，去滓，温服一升，日三服。

【434】心脏结，则心中痛，或在心下郁郁不乐，脉大而涩，连翘阿胶半夏赤小豆汤主之。若心中热痛而烦，脉

大而弦急者，此为实也，黄连阿胶半夏桃仁茯苓汤主之。

连翘阿胶半夏赤小豆汤方　连翘二两　阿胶一两半半夏半升（洗）　赤小豆三两

上四味，以水四升，先煮三物，取二升，去滓，纳胶烊消，温服七合，日三服。

黄连阿胶半夏桃仁茯苓汤　黄连三两　阿胶二两　半夏半升（洗）　桃仁二十枚（去皮尖）　茯苓三两

上五味，以水五升，先煮四味，取二升，去滓，纳胶烊消，温服一升，日再服。

【435】肺脏结，胸中闭塞，喘、咳，善悲，脉短而涩，百合贝母茯苓桔梗汤主之。若咳而唾血，胸中痛，此为实，葶苈栝蒌桔梗牡丹汤主之。

百合贝母茯苓桔梗汤方　百合七枚（洗，去沫）　贝母三两　茯苓三两　桔梗二两

上四味，以水七升，煮取三升，去滓，温服一升，日三服。

葶苈栝蒌桔梗牡丹汤方　葶苈三两（熬）　栝蒌实大者一枚（捣）　桔梗三两　牡丹皮二两

上四味，以水六升，煮取三升，去滓，温服一升，日三服。

【436】脾脏结，腹中满痛，按之如覆杯，甚则腹大而坚，脉沉而紧，白术枳实桃仁干姜汤主之。若腹中胀痛，不可按，大便初溏后鞕，转矢气者，此为实，大黄厚朴枳实半夏甘草汤主之。

白术枳实桃仁干姜汤方　白术二两　枳实二两　桃仁二十枚（去皮尖）　干姜一两

上四味，以水五升，煮取二升，去滓，分温再服。

大黄厚朴枳实半夏甘草汤方　大黄三两　厚朴三两
枳实三两　半夏一升（洗）　甘草一两（炙）

上五味，以水六升，煮取三升，去滓，温服一升，日
三服。

【437】肾脏结，少腹鞕，隐隐痛，按之如有核，小便
乍清乍浊，脉沉细而结，宜茯苓桂枝甘草大枣汤。若小腹
急痛，小便赤数者，此为实，宜桂枝茯苓枳实芍药甘草汤。

茯苓桂枝甘草大枣汤方　茯苓半斤　桂枝四两（去
皮）　甘草二两（炙）　大枣十五枚（劈）

上四味，以甘澜水一斗，先煮茯苓减二升，纳诸药，
煮取三升，去滓，温服一升，日三服。

桂枝茯苓枳实芍药甘草汤方　桂枝三两（去皮）　茯苓
二两　枳实二两　芍药三两　甘草一两（炙）

上五味，以水六升，煮取三升，去滓，温服一升，日
三服。

【438】脏结，无阳证，不往来寒热，其人反静，舌上
苔滑者，不可攻也；饮食如故，时时下利，舌上白苔滑者，
为难治。

【439】何谓结胸？师曰：病发于阳而反下之，热入于
里，因作结胸。病发于阴，而早下之，因作痞。所以成结
胸者，误下故也。

【440】结胸病，头项强，如柔痉状者，下之则和，宜
大陷胸丸。

大陷胸丸方　大黄半斤　葶苈半斤（熬）　芒硝半斤
杏仁半斤（去皮尖，熬）

上四味，捣筛二味，纳杏仁、芒硝，合研如脂，和散，取如弹丸一枚，别捣甘遂末一方寸匕，白蜜二合，水二升，煮取一升，去滓，温顿服之，一宿乃下。如不下，更服，取下为度。禁忌如药法。

【441】结胸证，其脉浮大者，不可下，下之则死。

【442】结胸证悉具，烦躁者，亦死。

【443】太阳病，脉浮而动数，浮则为风，数则为热，动则为痛，头痛发热，微盗汗出，而反恶寒者，表未解也。医反下之，动数变迟，膈内拒痛，胃中空虚，客气动膈，短气，躁烦，心中懊憹，阳气内陷，心下因鞕，则为结胸，大陷胸汤主之。若不结胸，但头汗出，余处无汗，剂颈而还，小便不利，身必发黄，五苓散主之。

大陷胸汤方 大黄六两　芒硝一升　甘遂一钱匕

上三味，以水六升，先煮大黄，取二升，去滓，纳芒硝，煮二沸，纳甘遂末，温服一升，得快利，止后服。

五苓散方 猪苓十八铢（去皮）　白术十八铢　泽泻一两六铢　茯苓十八铢　桂枝半两（去皮）

上五味，为散，更于臼中杵之，白饮和方寸匙服之，日三服，多饮暖水，汗出愈，发黄者，加茵陈蒿十分。

【444】伤寒六七日，结胸热实，脉沉紧而实，心下痛，按之石鞕者，大陷胸汤主之（方见前）。

【445】伤寒十余日，热结在里，复往来寒热者，与大柴胡汤。

大柴胡汤方 柴胡半斤　枳实四枚（炙）　生姜五两（切）　黄芩三两　芍药三两　半夏半升（洗）　大枣十二枚（劈）　大黄二两

上八味，以水一斗二升，煮取六升，去滓，再煎，温服一升，日三服。

【446】但结胸无大热者，此为水结在胸肋也，但头微汗出者，大陷胸汤主之（方见前）。

【447】太阳病，重发汗，而复下之，不大便五六日，舌上燥而渴，日晡所小有潮热，从心下至少腹鞕满而痛，不可近者，大陷胸汤主之（方见前）。

【448】小结胸病，正在心下，按之则痛，脉浮滑者，小陷胸汤主之。

小陷胸汤方　黄连一两　半夏半升　栝蒌实大者一枚

上三味，以水六升，先煮栝蒌取三升，纳诸药，煮取二升，去滓，分温三服。

【449】太阳病，二三日，不能卧，但欲起，心下必结。脉微弱者，此本有寒分也，反下之，若利止，必作结胸。未止者，此作协热利也。

【450】太阳病，下之后，其脉促，不结胸者，此为欲解也；脉浮者，必结胸；脉紧者，必咽痛；脉弦者，必两胁拘急；脉细数者，头痛未止；脉沉紧者，必欲呕；脉沉滑者，协热利；脉浮滑者，必下血。

【451】病在阳，应以汗解之，反以冷水潠之，若灌之，其热被劫不得去，弥更益烦，肉上粟起，意欲饮水，反不渴者，服文蛤散；若不差者，与五苓散（方见前）。寒实结胸，无热证者，与三物小陷胸汤（方见前），白散亦可服。

文蛤散方　文蛤五两　麻黄三两　甘草三两　生姜三两　石膏五两　杏仁五十粒（去皮尖）　大枣十二枚（劈）

上七味，为散，以沸汤和一方寸匕，汤用五合，调服。

假令汗出已，腹中痛者，与芍药三两。

白散方　桔梗三分　巴豆一分　贝母三分

上三味为散，更于臼中杵之，以白饮和服，强人半钱匕，羸者减之。病在膈上必吐，在膈下必利。不利进热粥一杯，利不止进冷粥一杯。

【452】太阳与少阳并病，头项强痛，或眩冒，时如结胸，心下痞鞕者，当刺大椎第一间、肺俞、肝俞，慎不可发汗，发汗则谵语，脉弦大，五日谵语不止，当刺期门。

【453】妇人中风，发热恶风，经水适来，得之七八日，热除而脉迟身凉，胸胁下满，如结胸状，谵语者，此为热入血室也，当刺期门，随其实而泄之。

【454】妇人中风，七八日，续得寒热，发作有时，经水适断者，此为热入血室，其血必结，故使如疟状，小柴胡汤主之。

小柴胡汤方　柴胡半斤　黄芩三两　人参三两　半夏半升（洗）　甘草三两（炙）　生姜三两（切）　大枣十二枚（劈）

上七味，以水一斗二升，煮取六升，去滓，再煎取三升，温服一升，日三服。

【455】妇人伤寒，发热，经水适来，昼日明了，暮则谵语，如见鬼状者，此为热入血室，无犯胃气及上二焦，必自愈。

【456】伤寒六七日，发热微恶寒，支节烦疼，微呕，心下支结，外证未去者，柴胡桂枝汤主之。

柴胡挂枝汤方　桂枝一两半（去皮）　黄芩一两半　人参一两半　甘草一两（炙）　半夏二合半（洗）　芍药一两

半 大枣六枚（劈） 生姜一两半（切） 柴胡四两

上九味，以水七升，煮取三升，去滓，温服一升，日三服。

【457】伤寒五六日，已发汗而复下之，胸胁满，微结，小便不利，渴而不呕，但头汗出，往来寒热，心烦者，此为未解也，柴胡桂枝干姜汤主之。

柴胡桂枝干姜汤方 柴胡半斤 桂枝三两（去皮）干姜二两 栝蒌根四两 黄芩三两 牡蛎二两（熬） 甘草二两（炙）

上七味，以水一斗二升，煮取六升，去滓，再煎取三升，温服一升，日三服。初服微烦，复服，汗出便愈。

【458】伤寒五六日，头汗出，微恶寒，手足冷，心下满，口不欲食，大便鞕，脉细者，此为阳微结，必有表复有里也，脉沉者，亦在里也，汗出为阳微。假令纯阴结，不得复有外证，悉入在里，此为半在里半在外也，脉虽沉细，不得为少阴病，所以然者，阴不得有汗，今头汗出，故知非少阴也，可与小柴胡汤（方见前）。设不了了者，得屎而解。

【459】伤寒五六日，呕而发热者，柴胡汤证具，而以他药下之，柴胡证仍在者，复与柴胡汤，此虽已下之，不为逆，必蒸蒸而振，却发热汗出而解。若心下满而鞕痛者，此为结胸也，大陷胸汤主之（方见前）；但满而不痛者，此为痞，柴胡不中与之，宜半夏泻心汤。

半夏泻心汤方 半夏半升（洗） 黄芩三两 干姜三两 人参三两 甘草三两（炙） 黄连一两 大枣十二枚（劈）

上七味，以水一斗，煮取六升，去滓，再煎取三升，温服一升，日三服。

【460】太阳少阳并病，而反下之，成结胸，心下必鞕，若下利不止，水浆不下，其人必烦。

【461】脉浮而紧，而复下之，紧反入里，则作痞，按之自濡，但气痞耳，小青龙汤主之。

小青龙汤方 麻黄三两　芍药三两　细辛三两　干姜三两　甘草三两（炙）　桂枝三两（去皮）　半夏半升（洗）　五味子半升

上八味，以水一斗，先煮麻黄减二升，去上沫，纳诸药，煮取三升，去滓，温服一升，日三服。若渴去半夏，加括蒌根三两；若微利，若噎者，去麻黄，加附子一枚炮；若小便不利，少腹满者，去麻黄，加茯苓四两；若喘者，加杏仁半升，去皮尖。

【462】太阳中风，下利，呕逆，表解者，乃可攻之；若其人漐漐汗出，发作有时，头痛，心下痞满，引胁下痛，干呕短气，汗出不恶寒者，此表解里未和也，十枣汤主之。

十枣汤方 芫花（熬）　甘遂　大戟

上三味，各等分，别捣为散，以水一升半，先煮大枣肥者十枚，取八合，去滓，纳药末。强人服一钱匕，羸人服半钱①，温服之。平旦服。若下少，病不除者，明日更服，加半钱②。得快下利后，糜粥自养。

【463】太阳病，医发汗，遂发热恶寒，因复下之，心下痞，表里俱虚，阴阳气并竭，无阳则阴独，复加烧针，

---

① "半钱"：《白云阁本》作"半钱匕"。
② 同上注。

因胸烦，面色青黄，肤瞤者，难治；今色微黄，手足温者，易愈。

【464】心下痞，按之濡，其脉关上浮大者，大黄黄连黄芩泻心汤主之。

大黄黄连黄芩泻心汤方　大黄二两　黄连一两　黄芩一两

上三味，以麻沸汤二升渍之，须臾绞去滓，分温再服。

【465】心下痞，而复恶寒者，附子泻心汤主之。

附子泻心汤方　大黄二两　黄连一两　黄芩一两　附子一枚（炮，去皮，破，别煮取汁）

上四味，切三味，以麻沸汤二升渍之，须臾绞去滓，纳附子汁，分温再服。

【466】本以下之，故心下痞，与泻心汤，痞不解，其人渴，而口燥烦，小便不利者，五苓散主之（方见前）。

【467】伤寒，汗出，解之后，胃中不和，心下痞鞕，干噫食臭，胁下有水气，腹中雷鸣，下利者，生姜泻心汤主之。

生姜泻心汤方　生姜四两　甘草三两（炙）　人参三两　干姜一两　黄芩三两　半夏半升（洗）　黄连一两　大枣十二枚（劈）

上八味，以水一斗，煮取六升，去滓，再煎取三升，温服一升，日三服。

【468】伤寒中风，医反下之，其人下利，日数十行，谷不化，腹中雷鸣，心下痞鞕而满，干呕，心烦不得安，医见心下痞，谓病不尽，复下之，其痞益甚，此非结热，但以胃中虚，客气上逆，故使鞕也，甘草泻心汤主之。

甘草泻心汤方 甘草四两（炙） 黄芩三两 干姜三两 人参三两 半夏半升（洗） 黄连一两 大枣十二枚（劈）

上七味，以水一斗，煮取六升，去滓，再煎取三升，温服一升，日三服。

【469】伤寒，服汤药下之，利不止，心下痞鞕，服泻心汤不已，复以他药下之，利益甚，医以理中与之，利仍不止；理中者，理中焦，此利在下焦故也，赤石脂禹余粮汤主之；复不止者，当利其小便。

赤石脂禹余粮汤方 赤石脂一斤（碎） 太乙禹余粮一斤（碎）

上二味，以水六升，煮取三升，去滓，分温三服。

【470】伤寒吐下后，发汗，虚烦，脉甚微，八九日，心下痞鞕，胁下痛，气上冲咽喉，眩冒，经脉动惕者，久而成痿。

【471】伤寒，发汗，若吐，若下，解后，心下痞鞕，噫气不除者，旋覆代赭汤主之。

旋覆代赭汤方 旋覆花三两 人参二两 生姜五两 代赭石一两 甘草三两（炙） 半夏半升（洗） 大枣十二枚（劈）

上七味，以水一斗，煮取六升，去滓，再煎取三升，温服一升，日三服。

【472】太阳病，外证未除，而数下之，遂协热而利，利下不止，心下痞鞕，表里不解者，桂枝人参汤主之。

桂枝人参汤方 桂枝四两（去皮） 甘草四两（炙） 白术三两 人参三两 干姜三两

上五味，以水九升，先煮四味，取五升，纳桂枝，更煮取三升，去滓，温服一升，日再服，夜一服。

【473】伤寒，大下后，复发汗，心下痞，恶寒者，表未解也，不可攻痞，当先解表，后攻其痞，解表宜桂枝汤；攻痞宜大黄黄连黄芩泻心汤（方见前）。

【474】伤寒发热，汗出不解，心下痞鞕，呕吐而不利者，大柴胡汤主之（方见前）。

【475】病如桂枝证，头不痛，项不强，寸脉微浮，胸中痞鞕，气上咽喉，不得息者，此为胸有寒也，当吐之，宜瓜蒂散。

瓜蒂散方 瓜蒂一分（熬） 赤小豆一分

上二味，各别捣筛，为散已，合治之，取一钱匙，以香豉一合，用热汤七合，煮作稀糜，去滓，取汁，和散，温顿服之，不吐者，少少加，得快吐乃止。诸亡血虚家，不可与。

【476】病胁下素有痞，连在脐旁，痛引少腹，入阴筋者，此名脏结，死。

【477】伤寒，若吐，若下后，七八日不解，热结在里，表里俱热，时时恶风，大渴，舌上干燥而烦，欲饮水数升者，白虎加人参汤主之。

白虎加人参汤方 知母六两 石膏一斤（碎，绵裹）甘草二两（炙） 粳米六合 人参二两

上五味，以水一斗，煮米熟汤成，去滓，温服一升，日三服。

【478】伤寒，无大热，口燥渴，心烦，背微恶寒者，白虎加人参汤主之（方见前）。

【479】伤寒，脉浮，发热，无汗，其表不解，当发汗，

不可与白虎汤；渴欲饮，无表证者，白虎加人参汤主之（方见前）。

【480】太阳少阳并病，心下鞕，颈项强而眩者，当刺大椎、肺俞、肝俞，慎不可下也，下之则痉。

【481】太阳与少阳合病，自下利者，与黄芩汤；若呕者，黄芩加半夏生姜汤主之。

黄芩汤方　黄芩三两　芍药二两　甘草二两　大枣十二枚（劈）

上四味，以水一斗，煮取三升，去滓，温服一升，日再服，夜一服。

黄芩加半夏生姜汤方　黄芩三两　芍药二两　甘草二两（炙）　半夏半升（洗）　生姜一两半（切）　大枣十二枚（劈）

上六味，以水一斗，煮取三升，去滓，温服一升，日再服，夜一服。

【482】伤寒，胸中有热，胃中有邪气，腹中痛，欲呕者，黄连汤主之。

黄连汤方　黄连三两　甘草三两（炙）　干姜三两　桂枝三两（去皮）　人参二两　半夏半升（洗）　大枣十二枚（劈）

上七味，以水一斗，煮取六升，去滓，温服一升，日三服，夜三服。

【483】伤寒，脉浮滑，此以里有热，表无寒也，白虎汤主之（方见前）。

【484】伤寒，脉结促，心动悸者，炙甘草汤主之。

炙甘草汤方　甘草四两（炙）　生姜三两（切）　人参

二两　地黄半斤　桂枝三两（去皮）　麦门冬半升　阿胶二两　麻仁半升　大枣十二枚（劈）

上九味，以清酒七升，先煮八味，取三升，去滓，纳胶烊消尽，温服一升，日三服。

伤寒杂病论卷第九

辨阳明病脉证并治

【485】问曰：病有太阳阳明，有正阳阳明，有少阳阳明，何谓也？答曰：太阳阳明者，脾约是也；正阳阳明者，胃家实是也；少阳阳明者，发汗，利小便已，胃中燥烦实，大便难是也。

【486】阳明之为病，胃家实是也。

【487】问曰：何缘得阳明病？答曰：太阳病若发汗，若下，若利小便，此亡津液，胃中干燥，因转属阳明，不更衣，内实，大便难者，此名阳明也。

【488】问曰：阳明病外证云何？答曰：身热，汗自出，不恶寒，反恶热也。

【489】问曰：病有得之一日，不发热而恶寒者，何也？答曰：虽得之一日，恶寒将自罢，即自汗出而恶热也。

【490】问曰：恶寒何故自罢？答曰：阳明居中，主土也，万物所归，无所复传，始虽恶寒，二日自止，此为阳明病也。

【491】本太阳病，初得病时发其汗，汗先出不彻，因转属阳明也。

【492】伤寒，发热，无汗，呕不能食，而反汗出濈濈然者，是转属阳明也。

【493】伤寒三日，阳明脉大者，此为不传也。

【494】伤寒，脉浮而缓，手足自温者，是为系在太阴；太阴者，身当发黄，若小便自利者，不能发黄；至七八日，大便鞕者，为阳明病也。

【495】伤寒转属阳明者，其人濈然微汗出也。

【496】阳明中风，口苦，咽干，腹满，微喘，发热，恶风，脉浮而缓，若下之，则腹满，小便难也。

【497】阳明病，若能食，名中风；不能食，名中寒。

【498】阳明病，若中寒者，不能食，小便不利，手足濈然汗出，此欲作固瘕，必大便初鞕后溏。所以然者，以胃中冷，水谷不别故也。

【499】阳明病，初欲食，小便不利，大便自调，其人骨节疼，翕翕然如有热状，奄然发狂，濈然汗出而解者，此水不胜谷气，与汗共并，脉小则愈。

【500】阳明病，欲解时，从申至戌上。

【501】阳明病，不能食，攻其热必哕。所以然者，其人本虚，胃中冷故也。

【502】阳明病，脉迟，食难用饱，饱则微烦，头眩，必小便难，此欲作谷疸，虽下之，腹满如故。所以然者，脉迟故也。

【503】阳明病，法多汗，反无汗，其身如虫行皮中状者，此以久虚故也。

【504】阳明病，反无汗，而小便利，二三日呕而咳，手足厥者，必苦头痛；若不咳、不呕、手足不厥者，头

不痛。

【505】阳明病，但头眩，不恶寒，故能食；若咳者，其人必咽痛；不咳者，咽不痛。

【506】阳明病，无汗，小便不利，心中懊憹者，身必发黄。

【507】阳明病，被火，额上微汗出，而小便不利者，必发黄。①

【508】阳明病，脉浮而大者，必潮热，发作有时，但浮者，必自汗出。

【509】阳明病，口燥，但欲漱水，不欲咽者，此必衄。

【510】阳明病，本自汗出，医更重发汗，病已差，尚微烦不了了者，此必大便鞭故也。以亡津液，胃中干燥，故令大便鞭。当问其小便日几行，若本小便日三四行，今日再行，则知大便不久必出。所以然者，以小便数少，津液当还入胃中，故知不久必大便也。

【511】伤寒呕多，虽有阳明证，不可攻之。

【512】阳明证，心下鞭满者，不可攻之。攻之，利遂不止者死，利止者愈。

【513】阳明证，眼合色赤，不可攻之。攻之必发热，色黄者，小便不利也。

【514】阳明病，不吐，不下，心烦者，可与调胃承气汤。

调胃承气汤方 甘草二两（炙） 芒硝半斤 大黄四两（酒洗）

---

① 《白云阁本》和《会通本》均无此条。

上三味，以水三升，煮二物，至一升，去滓，纳芒硝，更上微火一二沸，温顿服之。

【515】阳明病，脉实，虽汗出，而不恶热者，其身必重，短气，腹满而喘，有潮热者，此外欲解，可攻里也；手足濈然汗出者，此大便已鞕也，大承气汤主之；若汗多，微发热恶寒者，外未解也。其热不潮者，未可与承气汤；若腹大满不通者，可与小承气汤，微和胃气，勿令大泄下。

大承气汤方 大黄四两（酒洗） 厚朴半斤（炙，去皮①） 枳实五枚（炙） 芒硝三合

上四味，以水一斗，先煮二物，取五升，去滓，纳大黄，更煮取二升，去滓，纳芒硝，更上微火一两沸，分温再服，得下余勿服。

小承气汤方 大黄四两（酒洗） 厚朴二两（炙，去皮） 枳实三枚（炙）

上三味，以水四升，煮取一升二合，去滓，分温再服。初服更衣者，停后服，不尔者，尽饮之。

【516】阳明病，潮热，大便微鞕者，可以②大承气汤；不鞕者不可与之。若不大便六七日，恐有燥屎，欲知之法，少与小承气汤；汤入腹中，转失气者，此有燥屎也，乃可攻之；若不转失气者，此但初头鞕，后必溏，不可攻之，攻之必胀满，不能食也，欲饮水者，与水则哕；其后发热者，必大便复鞕而少也，以小承气汤和之；不转失气者，慎不可攻也（方见前）。

【517】阳明病，实则谵语，虚则郑声，郑声者，重语

---

① "炙，去皮"：《白云阁本》和《会通本》均作"去皮，炙"。
② "以"：《白云阁本》和《会通本》均作"与"。

也。直视，谵语、喘满者，死；下利者，亦死。

【518】阳明病，发汗多，若重发汗，以亡其阳，谵语，脉短者，死；脉自和者，不死。

【519】伤寒，若吐，若下后，不解，不大便五六日，上至十余日，日晡所发潮热，不恶寒，独语如见鬼状；若剧者，发则不识人，循衣摸床，惕而不安，微喘，直视；脉弦者生，涩者死；微者，但发热，谵语者，大承气汤主之（方见前）。

【520】阳明病，其人多汗，以津夜外出，胃中燥，大便必鞕，鞕则谵语，小承气汤主之（方见前）。

【521】阳明病，谵语，发热潮，脉滑而疾者，小承气汤主之（方见前）。

【522】阳明病，服承气汤后，不转失气，明日又不大便，脉反微涩者，里虚也，为难治，不可更与承气汤也。

【523】阳明病，谵语，有潮热，反不能食者，胃中必有燥屎五六枚也；若能食者，但鞕尔，宜大承气汤下之（方见前）。

【524】阳明病，下血，谵语者，此为热入血室，但头汗出者，刺期门，随其实而泻之，濈然汗出则愈。

【525】阳明病，汗出，谵语者，以有燥屎在胃中，此为实也，须过经乃可下之；下之若早，语言必乱，以表虚里实故也，下之宜大承气汤（方见前）。

【526】伤寒四五日，脉沉而喘满，沉为在里，而反发其汗，津液越出，大便为难，表虚里实，久则谵语。

【527】三阳合病，腹满，身重，难以转侧，口不仁面垢，若发汗则谵语、遗尿，下之，则手足逆冷、额上出汗；

若自汗者，宜白虎汤；自利者，宜葛根黄连黄芩甘草汤。

白虎汤方 知母六两 石膏一斤（碎，绵裹） 甘草二两（炙） 粳米六合

上四味，以水一斗，煮米熟汤成，去滓，温服一升，日三服。

葛根黄连黄芩甘草汤方 葛根半斤 甘草二两（炙）黄连三两 黄芩三两

上四味，以水八升，先煮葛根减二升，纳诸药，煮取二升，去滓，分温再服。

【528】二阳并病，太阳证罢，但发潮热，手足絷絷汗出，大便难而谵语者，下之则愈，宜大承气汤（方见前）。

【529】阳明病，脉浮而大，咽燥口苦，腹满而喘，发热汗出，不恶寒，反恶热，身重；若发汗，则躁，心愦愦反谵语；若加温针，必怵惕，烦躁，不得眠；若下之，则胃中空虚，客气动膈，心中懊侬，舌上苔者，栀子豉汤主之。

栀子豉汤方 栀子十四枚（劈） 香豉四合（绵裹）

上二味，以水四升，先煮栀子取二升半，去滓，纳香豉，更煮，取一升半，去滓，分二服，温进一服，得快吐者，止后服。

【530】阳明病，渴欲饮水，口干舌燥者，白虎加人参汤主之。

白虎加人参汤方 知母六两 石膏一斤（碎，绵裹）甘草二两（炙） 粳米六合 人参三两

上五味，以水一斗，煮米熟汤成，去滓，温服一升，日三服。

【531】阳明病，脉浮，发热，渴欲饮水，小便不利者，猪苓汤主之。

猪苓汤方　猪苓一两（去皮）　茯苓一两　泽泻一两　阿胶一两　滑石一两（碎）

上五味，以水四升，先煮四味，取二升，去滓，纳阿胶烊消，温服七合，日三服。

【532】阳明病，汗出多而渴者，不可与猪苓汤，以汗多胃中燥，猪苓汤复利其小便故也。

【533】阳明病，脉浮而迟，表热里寒，下利清谷者，四逆汤主之。

四逆汤方　甘草二两（炙）　干姜一两半　附子一枚（生用，去皮，破八片）　人参二两

上四味，以水三升，煮取一升二合，去滓，分温二服。

【534】阳明病，胃中虚冷，不能食者，不可与水饮之，饮则必哕。

【535】阳明病，脉浮，发热，口干，鼻燥，能食者，衄。

【536】阳明病，下之，其外有热，手足温，不结胸，心中懊憹，饥不能食，但头汗出者，栀子豉汤主之（方见前）。

【537】阳明病，发潮热，大便溏，小便自可，胸胁满不去者，与小柴胡汤。

小柴胡汤方　柴胡半斤　黄芩三两　人参三两　半夏半升（洗）　甘草二两（炙）　生姜三两（切）　大枣十二枚（劈）

上七味，以水一斗二升，煮取六升，去滓，再煎取三

升，温服一升，日三服。

【538】阳明病，胁下鞕满，不大便而呕，舌上白苔者，可与小柴胡汤，上焦得通，津液得下，胃气因和，身濈然汗出而解也（方见前）。

【539】阳明中风，脉弦浮大，而短气，腹都满，胁下及心痛，久按之气不通，鼻干不得涕，嗜卧，一身及目悉黄，小便难，有潮热，时时哕，耳前后肿，刺之小差，外不解。病过十日，脉续浮者，与小柴胡汤；脉但浮，无余证者，与麻黄汤；若不尿，腹满加哕者，不治。

麻黄汤方 麻黄三两（去节） 桂枝二两（去皮） 甘草一两（炙） 杏仁七十个（去皮尖）

上四味，以水九升，煮麻黄，减二升，去上沫，纳诸药，煮取二升半，去滓，温服八合，覆取微似汗，不须啜粥，余如桂枝汤法将息。

【540】动作头痛，短气，有潮热者，属阳明也，白蜜煎主之。

白蜜煎方 人参一两 地黄六两 麻仁一升 白蜜八合

上四味，以水一斗，先煎三味，取五升，去滓，纳蜜，再煎一二沸，每服一升，日三夜二。

【541】阳明病，自汗出。若发汗、小便自利者，此为津液内竭，便虽鞕不可攻之，当须自欲大便，宜蜜煎导而通之。若土瓜根，及大猪胆汁，皆可为导。

蜜煎导方 食蜜七合

上一味，纳铜器中，微火煎之，稍凝如饴状，搅之勿令焦著。可丸时，并手捻作挺，令头锐，大如指，长二寸

许，当热时急作，冷则鞕，纳谷道中，以手紧抱，欲大便时乃去之。

猪胆汁方　大猪胆一枚

上一味，泄汁，和醋少许，灌谷道中。如一食顷，当大便，出宿食甚多。

【542】阳明病，脉迟，汗出多，微恶寒者，表未解也，可发汗，宜桂枝汤（方见上卷）。

【543】阳明病，脉浮，无汗而喘者，发汗则愈，宜麻黄汤（方见前）。

【544】阳明病，发热汗出者，此为热越，不能发黄也；但头汗出，身无汗，剂颈而还，小便不利，渴引水浆者，此为瘀热在里，身必发黄，茵陈蒿汤主之。

茵陈蒿汤方　茵陈蒿六两　栀子十四枚（劈）　大黄二两（去皮）

上三味，以水一斗二升，先煮茵陈，减六升，纳二味，煮取三升，去滓，分温三服，小便当利，尿如皂荚汁状，色正赤，一宿病减，黄从小便去也。

【545】阳明病，其人善忘者，必有蓄血。所以然者，本有久瘀血，故令善忘。屎虽鞕，大便反易，其色必黑，宜抵当汤下之。

抵当汤方　水蛭三十个　虻虫三十个（去翅足）　大黄三两（酒洗）　桃仁二十个（去皮尖）

上四味，以水五升，煮取三升，去滓，温服一升，不下更服。

【546】阳明病，下之，心中懊憹而烦，胃中有燥屎者，可攻；腹微满，大便初鞕后溏者，不可攻之；若有燥屎者，

宜大承气汤（方见前）。

【547】病人不大便五六日，绕脐痛，烦躁，发作有时者，此有燥屎，故使不大便也。

【548】病人烦热，汗出则解，又如疟状，日晡所发热者，属阳明也；脉实者，宜下之；脉浮大者，宜发汗。下之与大承气汤，发汗宜桂枝汤（方见前）。

【549】大下后，六七日不大便，烦不解，腹满痛者，此有燥屎也。所以然者，本有宿食故也，宜大承气汤（方见前）。

【550】病人小便不利，大便乍难乍易，时有微热，喘息不能卧者，有燥屎也，宜大承气汤（方见前）。

【551】食谷欲呕者，属阳明也，吴茱萸汤主之。得汤反剧者，属上焦也，小半夏汤主之。

吴茱萸汤方　吴茱萸一升　人参三两　生姜六两（切）　大枣十二枚（擘）

上四味，以水七升，煮取二升，去滓，温服七合，日三服。

小半夏汤方　半夏一升（洗）　生姜半斤（切）

上二味，以水七升，煮取一升半，去滓，分温再服。

【552】太阳病，寸缓、关浮、尺弱，其人发热汗出，复恶寒，① 不呕，但心下痞者，此以医下之。如其未下，病人不恶寒而渴者，此转属阳明也。小便数者，大便必鞕，不更衣十日，无所苦也，渴欲饮水者，少少与之，以法救之。渴而饮水多，小便不利者，宜五苓散。

---

①　"其人发热汗出，复恶寒"：《白云阁本》和《会通本》均作"其人发热汗出后，恶寒"。

五苓散方^①　猪苓八十铢　白术八十铢　茯苓八十铢　泽泻一两六铢　桂枝半两（去皮）

上五味为散，白饮和服方寸匙，日三服。发黄者，加茵陈蒿十分。

【553】脉阳微而汗出少者，为自和；汗出多者，为太过；阳脉实，因发其汗，出多者，亦为太过。太过者，为阳绝于里，亡津液，大便因鞕也。

【554】脉浮而芤，浮为阳，芤为阴，浮芤相搏，胃气生热，其阳则绝。

【555】趺阳脉浮而涩，浮则胃气强，涩则小便数。浮数相搏，大便则鞕，其脾为约，麻子仁丸主之。

麻子仁丸方　麻子仁二升　芍药半斤　枳实半斤（炙）　大黄一斤（去皮）　厚朴一只^②（炙）　杏仁一升（去皮尖）

上六味，蜜为丸，如梧桐子大，饮服十丸，日三服，渐加，以知为度。

【556】太阳病二日，发汗不解，蒸蒸发热者，属阳明也，调胃承气汤主之（方见前）。

【557】伤寒吐后，腹胀满者，与调胃承气汤（方见前）。

【558】太阳病，若吐、若下、若发汗后，微烦、小便数、大便因鞕者，与小承气汤和之愈（方见前）。

---

①　此方，前三味均为八十铢，本书他处多次出现本方，此三味用量均为十八铢。

②　"厚朴"：书中他处处以重量度量，唯此处用"只"。《白云阁本》和《会通本》均称"尺"，《宋本》和《成本》也作"尺"，也有他本作"斤"。

【559】得病二三日，脉弱，无太阳柴胡证，烦躁，心下鞕。至四五日，虽能食，以小承气汤少少与，微和之，令小安。至六日与小承气汤一升。若不大便六七日，小便少者，虽不大便，但初头鞕，后必溏，未定成鞕，攻之必溏；须小便利，屎定鞕，乃可攻之，宜大承气汤（方见前）。

【560】伤寒六七日，目中不了了，睛不和，无表里证，大便难，身微热者，此为实也，急下之，宜大承气汤（方见前）。

【561】阳明病，发热汗多者，急下之，宜大承气汤（方见前）。

【562】发汗，不解，腹满痛者，急下之，宜大承气汤（方见前）。

【563】腹满不减，减不足言，当下之，宜大承气汤（方见前）。

【564】阳明少阳合病，必下利。其脉不负者，为顺也；负者，失也。互相克责，名为负也。脉滑而数者，有宿食也，当下之，宜大承气汤（方见前）。

【565】病人无表里证，发热七八日，虽脉浮数者，可下之；假令已下，脉数不解，合热则消谷善饥，至六七日不大便者，有瘀血也，宜抵当汤（方见前）；若脉数不解，而下利不止，必协热便脓血也。

【566】伤寒，发汗已，身目为黄，所以然者，以寒湿在里，不解故也。不可汗也，当于寒湿中求之。

【567】伤寒七八日，身黄如橘子色，小便不利，腹微满者，茵陈蒿汤主之（方见前）。

【568】伤寒，身黄，发热者，栀子柏皮汤主之。

栀子柏皮汤方　栀子十五个（劈）　甘草一两（炙）黄柏二两

上三味，以水四升，煮取一升半，去滓，分温再服。

【569】伤寒瘀热在里，其身必黄，麻黄连轺赤小豆汤主之。

麻黄连轺赤子豆汤方　麻黄二两　连轺二两　杏仁四十个（去皮尖）　赤小豆一升　大枣十二枚（劈）　生梓白皮一斤（切）　生姜二两（切）　甘草二两（炙）

上八味，以潦水一斗，先煮麻黄再沸，去上沫，纳诸药，煮取三升，去滓，分温三服，半日服尽。

【570】阳明病，身热，不能食，食即头眩，心胸不安，久久发黄，此名谷疸，茵陈蒿汤主之（方见前）。

【571】阳明病，身热，发黄，心中懊恼，或热痛，因于酒食者，此名酒疸，栀子大黄汤主之。

栀子大黄汤方　栀子十四枚　大黄一两　枳实五枚豉一升

上四味，以水六升，煮取三升，去滓，温服一升，日三服。

【572】阳明病，身黄，津液枯燥，色暗不明者，此热入于血分也，猪膏发煎主之。

猪膏发煎方　猪膏半斤　乱发如鸡子大三枚

上二味，和膏煎之，发消药成，分再服，病从小便出。

【573】黄疸，腹满，小便不利而赤，自汗出，此为表和里实，当下之，宜大黄硝石汤。

大黄硝石汤方　大黄四两　黄柏四两　芒硝四两　栀

子十五枚

上四味，以水六升，先煮三味，取二升，去滓，纳硝，更煮取一升，顿服。

【574】诸黄，腹痛而呕者，宜大柴胡汤。

大柴胡汤方 柴胡半斤 黄芩三两 芍药三两 半夏半升（洗） 生姜五两（切） 枳实四枚（炙） 大枣十二枚（劈） 大黄二两

上八味，以水一斗二升，煮取六升，去滓，再煎，温服**二升**，日三服。

【575】黄病，小便色不变，自利，腹满而喘者，不可除热，除热必哕。哕者，小半夏汤主之（方见前）。

【576】诸黄家，但利其小便，五苓散加茵陈蒿主之；假令脉浮，当以汗解者，宜桂枝加黄芪汤（五苓散见前，加茵陈蒿十分，同末）。

桂枝加黄芪汤方 桂枝三两（去皮） 芍药三两 甘草二两（炙） 生姜三两（切） 大枣十五枚（劈） 黄芪二两

上六味，以水八升，煮取三升，去滓，温服一升，日三服。

【577】诸黄，小便自利者，当以虚劳法，小建中汤主之。

小建中汤方 桂枝三两（去皮） 芍药六两 甘草三两（炙） 生姜三两（切） 大枣十二枚（劈） 饴糖一升

上六味，以水七升，先煮五味，取三升，去滓，纳胶饴，更上微火消解，温服一升，日三服。

【578】阳明病，腹满，小便不利，舌萎黄燥，不得眠

者，此属黄家。

【579】黄疸病，当以十八日为期，治之十日以上瘥，反剧者，为难治。

【580】夫病，脉沉，渴欲饮水，小便不利者，后必发黄。

【581】趺阳脉微而弦，法当腹满，若不满者，必大便难，两胠疼痛，此为虚寒，当温之，宜吴茱萸汤（方见前）。

【582】夫病人腹痛绕脐，此为阳明风冷，谷气不行。若反下之，其气必冲。若不冲者，心下则痞，当温之，宜理中汤。

理中汤方　人参三两　白术三两　甘草三两（炙）　干姜三两

上四味，以水八升，煮取三升，去滓，温服一升，日三服。

【583】阳明病，发热十余日，脉浮而数，腹满，饮食如故者，厚朴七物汤主之。

厚朴七物汤方　厚朴半斤　甘草三两　大黄三两　枳实五枚　桂枝二两（去皮）　生姜五两　大枣十枚（劈）

上七味，以水一斗，煮取四升，去滓，温服八合，日三服。

【584】阳明病，腹中切痛、雷鸣、逆满，呕吐者，此虚寒也，附子粳米汤主之。

附子粳米汤方　附子一枚（炮）　半夏半升（洗）　甘草一两　大枣十枚（劈）　粳米半升

上五味，以水八升，煮米熟汤成，去滓，温服一升，日三服。

【585】阳明病，腹中寒痛，呕不能食，有物突起，如见头足，痛不可近者，大建中汤主之。

大建中汤方 蜀椒二合（去目汗） 干姜四两 人参一两 胶饴一升

上四味，以水四升，先煮三味，取二升，去滓，纳胶饴，微火煮取一升半，分温再服，如一炊顷，可饮粥二升，后更服，当一日食糜粥，温覆之。

【586】阳明病，腹满，胁下偏痛，发微热，其脉弦紧者，当以温药下之，宜大黄附子细辛汤。

大黄附子细辛汤方 大黄三两 附子三两 细辛二两

上三味，以水五升，煮取二升，去滓，分温三服，一服后，如人行四五里，再进一服。

【587】问曰：阳明宿食何以别之？师曰：寸口脉浮而大，按之反涩，尺中亦微而涩，故知其有宿食也，大承气汤主之（方见前）。

【588】寸口脉数而滑者，此为有宿食也。

【589】下利不欲食者，此为有宿食也。

【590】脉紧如转索者，此为有宿食也。

【591】脉紧，腹中痛，恶风寒者，此为有宿食也。

【592】宿食在上脘者，法当吐之，宜瓜蒂散。

瓜蒂散方 瓜蒂一分 赤小豆一分

上二味，杵为散，以香豉七合，煮取汁，和散一钱匕，温服之，不吐稍加，得吐止后服。

伤寒杂病论卷第十

辨少阳病脉证并治

【593】少阳之为病，口苦，咽干，目眩是也。

【594】少阳中风，两耳无所闻，目赤，胸中满而烦者，不可吐下，吐下则悸而惊。

【595】伤寒，脉弦细，头痛，发热者，属少阳，不可发汗；汗则谵语①，烦躁，此属胃不和也，和之则愈。

【596】本太阳病，不解，转入少阳者，胁下鞭满，干呕不能食，往来寒热，脉沉弦者，不可吐下，与小柴胡汤。

小柴胡汤方 柴胡八两 人参三两 黄芩三两 甘草三两（炙） 半夏半升（洗） 生姜三两（切） 大枣十二枚（劈）

上七味，以水一斗二升，煮取六升，去滓，再煎取三升，温服一升，日三服。

【597】少阳病，气上逆，今胁下痛，甚则呕逆，此为胆气不降也，柴胡芍药枳实甘草汤主之。

柴胡芍药枳实甘草汤方 柴胡八两 芍药三两 枳实

---

① 此处，《宋本》和《会通本》均作"发汗则谵语"。

四枚（炙）　甘草三两（炙）

上四味，以水一斗，煮取六升，去滓，再煎取三升，温服一升，日三服。

【598】若已吐下、发汗、温针、谵语，柴胡汤证罢者，此为坏病，知犯何逆，以法救之，柴胡汤不中与也。

【599】三阳合病，脉浮大，上关上，但欲眠睡，目合则汗，此上焦不通故也，宜小柴胡汤（方见前）。

【600】伤寒四五日，无大热，其人躁烦者，此为阳去入阴故也。

【601】伤寒三日，三阳为尽，三阴当受邪，其人反能食而不呕者，此为三阴不受邪也。

【602】伤寒三日，少阳脉小者，为欲已也。

【603】少阳病欲解时，从寅至辰上。

辨太阴病脉证并治

【604】太阴之为病，腹满而吐，食不下，自利益甚，时腹自痛，若下之，必胸下结鞕。

【605】太阴中风，四肢烦疼，阳微阴涩而长者，为欲愈。

【606】太阴病，脉浮者，可发汗，宜桂枝汤。

桂枝汤方　桂枝三两（去皮）　芍药三两　甘草二两（炙）　生姜三两（切）　大枣十二枚（擘）

上五味，以水七升，煮取三升，去滓，温服一升，须臾啜热粥一升，以助药力，温覆取汗，不汗再服。

【607】自利不渴者，属太阴，以其脏有寒故也，当温

之，宜服理中、四逆辈。

【608】伤寒，脉浮而缓、手足自温者，系在太阴。太阴当发身黄；若小便自利者，不能发黄。至七八日，虽暴烦，下利日十余行，必自止，以脾家实，腐秽当去故也。

【609】本太阳病，医反下之，因尔腹满时痛者，属太阴也，桂枝加芍药汤主之；大实痛者，桂枝加大黄汤主之。

桂枝加芍药汤方　桂枝三两（去皮）　芍药六两　甘草二两（炙）　生姜三两（切）　大枣十二枚（劈）

上五味，以水七升，煮取三升，去滓，温分三服。

桂枝加大黄汤方　桂枝三两（去皮）　大黄二两　芍药六两　甘草二两（炙）　生姜三两（切）　大枣十二枚（劈）

上六味，以水七升，煮取三升，去滓，温服一升，日三服。

【610】太阴病，脉弱，其人续自便利，设当行大黄、芍药者，宜减之，以其人胃气弱，易动故也。

【611】太阴病，大便反鞕，腹中胀满者，此脾气不转也，宜白术枳实干姜白蜜汤；若不胀满，反短气者，黄芪五物汤加干姜半夏主之。

白术枳实干姜白蜜汤方　白术三两　枳实一两半　干姜一两　白蜜二两

上四味，以水六升，先煮三味，去滓，取三升，①纳白蜜烊消，温服一升，日三服。

黄芪五物加干姜半夏汤方　黄芪三两　桂枝三两（去

---

① "去滓，取三升"：《会通本》和《白云阁本》勘误表均作"取三升，去滓"。

皮） 芍药三两　生姜六两（切）　大枣十二枚（劈）　干姜三两　半夏半升（洗）

上七味，以水一斗，煮取五升，去滓，再煎取三升，分温三服。

【612】太阴病，渴欲饮水，饮水即吐者，此为水在膈上，宜半夏茯苓汤。

半夏茯苓汤方　半夏一升（洗）　茯苓四两　泽泻二两　干姜一两

上四味，以水四升，煮取三升，去滓，分温再服，小便利，则愈。

【613】太阴病，下利，口渴，脉虚而微数者，此津液伤也，宜人参白术芍药甘草汤。

人参白术芍药甘草汤方　人参三两　白术三两　芍药三两　甘草二两（炙）

上四味，以水五升，煮取三升，去滓，温服一升，日三服。

【614】太阴病，不下利、吐逆，但苦腹大而胀者，此脾气实也，厚朴四物汤主之。

厚朴四物汤方　厚朴二两（炙）　枳实三枚（炙）　半夏半升（洗）　橘皮一两

上四味，以水五升，煮取三升，去滓，温服一升，日三服。

【615】太阴病，不吐、不满，但遗矢无度者，虚故也，理中加黄芪汤主之。

理中加黄芪汤方　人参三两　白术三两　干姜三两　甘草三两（炙）　黄芪三两

上五味，以水八升，煮取三升，去滓，温服一升，日三服。

【616】太阴病，欲吐不吐，下利时甚时疏，脉浮涩者，桂枝去芍药加茯苓白术汤主之。

桂枝去芍药加茯苓白术汤方 桂枝三两（去皮） 甘草二两（炙） 茯苓三两 白术三两 生姜三两（切） 大枣十二枚（劈）

上六味，以水八升，煮取三升，去滓，温服一升，日三服。

【617】太阴病，吐逆，腹中冷痛，雷鸣下利，脉沉紧者，小柴胡加茯苓白术汤主之。

小柴胡加茯苓白术汤方 柴胡半斤 黄芩三两 人参三两 半夏半升（洗） 甘草三两（炙） 生姜三两（切） 大枣十二枚（劈） 茯苓三两 白术三两

上九味，以水一斗二升，煮取六升，去滓，再煎取三升，温服一升，日三服。

【618】太阴病，有宿食，脉滑而实者，可下之，宜承气辈；若大便溏者，宜厚朴枳实白术甘草汤。

厚朴枳实白术甘草汤方 厚朴三两 枳实三两 白术二两 甘草二两

上四味，以水六升，煮取三升，去滓，温服一升，日三服。

【619】太阴病欲解时，从亥至丑上。

伤寒杂病论卷第十一

辨少阴病脉证并治

【620】少阴之为病，脉微细，但欲寐也。

【621】少阴病，欲吐不吐，心烦，但欲寐，五六日，自利而渴者，属少阴也，虚，故饮水自救。若小便色白者，少阴病形悉具。小便白者，以下焦虚寒，不能制水，故令色白也。

【622】病人脉阴阳俱紧，反汗出者，亡阳也，此属少阴，法当咽痛，而复吐利。

【623】少阴病，咳而下利，谵语者，被火①劫故也，小便必难，以强责少阴汗也。

【624】少阴病，脉细沉数，病为在里，不可发汗。

【625】少阴病，脉微，不可发汗，亡阳故也；阳已虚，尺脉弱涩者，复不可下之。

【626】少阴病，脉紧，至七八日，自下利，脉暴微，手足反温，脉紧反去者，为欲解也，虽烦、下利，必自愈。

---

① 此处，《白云阁本》和《会通本》均有"气"字，《宋本》和《成本》也有"气"字。

【627】少阴病，下利，若利自止，恶寒而蜷卧，手足温者，可治。

【628】少阴病，恶寒而蜷，时自烦，欲去衣被者，可治。

【629】少阴中风，脉阳微阴浮者，为欲愈。

【630】少阴病欲解时，从子至寅上。

【631】少阴病，吐利，手足不逆冷，反发热者，不死。脉不至者，灸少阴七壮。

【632】少阴病八九日，一身手足尽热者，以热在膀胱，必便血也。

【633】少阴病，但厥无汗，而强发之，必动其血，未知从何道而出，或从口鼻，或从耳出者，是名下厥上竭，为难治。

【634】少阴病，恶寒，身蜷而利，手足逆冷者，不治。

【635】少阴病，吐利，躁烦，四逆者，死。

【636】少阴病，下利止，而头眩时时自冒者，死。

【637】少阴病，四逆，恶寒而身蜷，脉不至，心烦而躁者，死。

【638】少阴病，六七日，息高者，死。

【639】少阴病，脉微细沉，但欲卧，汗出不烦，自欲吐。至五六日，自利，复烦躁不得卧寐者，死。

【640】少阴病始得之，反发热，脉沉者，麻黄附子细辛汤主之。

麻黄附子细辛汤方　麻黄二两　附子一枚（炮，去皮，破八片）　细辛二两

上三味，以水一斗，先煮麻黄，减二升，去上沫，纳

诸药，煮取三升，去滓。温服一升，日三服。

【641】少阴病，得之二三日，麻黄附子甘草汤微发汗，以二三日无里证，故微发汗也。

麻黄附子甘草汤方　麻黄二两　附子一枚（炮，去皮，破八片）　甘草二两（炙）

上三味，以水七升，先煮麻黄一二沸，去上沫，纳诸药，煮取三升，去滓。温服一升，日三服。

【642】少阴病，得之二三日以上，心中烦，不得卧者，黄连阿胶汤主之。

黄连阿胶汤方　黄连四两　黄芩二两　芍药二两　阿胶三两　鸡子黄二枚

上五味，以水六升，先煮三物，取二升，去滓，纳胶烊尽，小冷，纳鸡子黄，搅令相得。温服七合，日三服。

【643】少阴病，得之一二日，口中和，其背恶寒者，当灸之，附子汤主之。

附子汤方　附子二枚（炮，去皮，破八片）　茯苓三两　人参二两　白术四两　芍药三两

上五味，以水八升，煮取三升，去滓。温服一升，日三服。

【644】少阴病，身体痛，手足寒，骨节痛，脉沉者，附子汤主之（方见前）。

【645】少阴病，脉微而弱，身痛如掣者，此荣卫不和故也，当归四逆汤主之。

当归四逆汤方　当归三两　芍药三两　桂枝三两（去皮）　细辛三两　木通三两　甘草二两（炙）　大枣二十五枚（劈）

上七味，以水八升，煮取三升，去滓。温服一升，日三服。

【646】少阴病，下利便脓血者，桃花汤主之。

桃花汤方　赤石脂一斤（一半全用，一半筛末）　干姜一两　粳米一升

上三味，以水七升，煮米令熟，去滓，温服七合，纳赤石脂末方寸匙，日三服。若一服愈，余勿服。

【647】少阴病，二三日至四五日，腹痛，小便不利，下利不止，便脓血者，桃花汤主之（方见前）。

【648】少阴病，下利便脓血者，可刺足阳明。

【649】少阴病，吐利，手足逆冷，烦躁欲死者，吴茱萸汤主之。

吴茱萸汤方　吴茱萸一升　人参二两　生姜六两（切）　大枣十二枚（劈）

上四味，以水七升，煮取二升，去滓，温服七合，日三服。

【650】少阴病，下利，咽痛，胸满，心烦者，猪肤汤主之。

猪肤汤方　猪肤一斤

上一味，以水一斗，煮取五升，去滓，加白蜜一升，白粉五合，熬香，和令相得，分温六服（白粉即米粉）。

【651】少阴病，二三日，咽中痛者，可与甘草汤；不差，与桔梗汤。

甘草汤方　甘草二两

上一味，以水三升，煮取一升半，去滓。温服七合，日二服。

桔梗汤方 桔梗一两 甘草二两

上二味，以水三升，煮取一升，去滓，温分再服。

【652】少阴病，咽中伤，生疮，痛引喉旁，不能语言，声不出者，苦酒汤主之。

苦酒汤方 半夏十四枚（洗，破如枣核） 鸡子一枚（去黄，纳上苦酒着鸡子壳中）

上二味，纳半夏，着苦酒中，以鸡子壳置刀环中，安火上，令三沸，去滓，少少含咽之。不差，更作三剂。

【653】少阴病，咽中痛，脉反浮者，半夏散及汤主之。

半夏散方 半夏（洗） 桂枝（去皮） 甘草（炙）

上三味，等分，各别捣筛已，合治之。白饮和服方寸匙，日三服。若不能散服者，以水一升煎七沸，纳散两方寸匕，更煎三沸，下火令小冷，少少咽之。

【654】少阴病，下利，白通汤主之。

白通汤方 葱白四茎 干姜一两 附子一枚（生用，去皮，破八片）

上三味，以水三升，煮取一升，去滓，分温再服。

【655】少阴病，下利，脉微者，与白通汤；利不止，厥逆无脉，干呕烦者，白通加猪胆汁汤主之。服汤后，脉暴出者死，微续者生。

白通加猪胆汁汤方 葱白四茎 干姜一两 附子一枚（生用，去皮，破八片） 人尿五合 猪胆汁一合

上五味，以水三升①，先煮三物，取一升，去滓，纳人尿、猪胆汁，和令相得，分温再服。若无胆汁，亦可用。

---

① "三升"：《白云阁本》和《会通本》均作"五升"，《宋本》和《成本》也作"三升"。

【656】少阴病，二三日不已，至四五日，腹痛，小便不利，四肢沉重疼痛，自下利者，此为有水气，其人或咳，或小便不利，或下利，或呕者，真武汤主之。

真武汤方 茯苓三两　芍药三两　白术二两　生姜三两（切）　附子一枚（炮，去皮，破八片）

上五味，以水八升，煮取三升，去滓。温服七合，日三服。若咳者，加五味子半升，细辛、干姜各一两；若小便不利者，加茯苓一两；若下利者，去芍药，加干姜二两；若呕者，去附子，加生姜足前成半斤。

【657】少阴病，下利清谷，里寒外热，手足厥逆，脉微欲绝，身反不恶寒，其人面色赤，或腹痛，或干呕，或咽痛，或利止脉不出者，通脉四逆汤主之。

通脉四逆汤方 甘草二两（炙）　附子大者一枚（生用，去皮，破八片）　干姜三两　人参二两①

上四味，以水三升，煮取一升二合，去滓，分温再服。其脉即出者愈。面色赤者，加葱九茎；腹中痛者，去葱，加芍药二两；呕者，加生姜二两；咽痛者，去芍药，加桔梗一两；利止，脉不出者，去桔梗，加人参二两。

【658】少阴病，四逆，其人或咳，或悸，或小便不利，或腹中痛，或泄利下重者，四逆散主之。

四逆散方 甘草二两（炙）　附子大者一枚　干姜一两半　人参二两

上四味，捣筛，白饮和服方寸匕。咳者，去人参，加五味子、干姜各五分，并主下利；悸者，加桂枝五分；小

---

① "二两"：《白云阁本》和《会通本》均作"一两"，而《宋本》和《成本》均无人参。

便不利者，加茯苓五分；泄利下重者，先以水五升，煮薤白三两，取三升，去滓，以散三方寸匕纳汤中，煮取一升半，分温再服。

【659】少阴病，下利六七日，咳而呕渴，心烦不得眠者，猪苓汤主之。

猪苓汤方 猪苓一两（去皮） 茯苓一两（去皮） 阿胶一两 泽泻一两 滑石一两

上五味，以水四升，先煮四物，取二升，去滓，纳胶烊尽，温服七合，日三服。

【660】少阴病，得之二三日，口燥咽干者，急下之，宜大承气汤。

大承气汤方 枳实五枚（炙） 厚朴半斤（去皮，炙用） 大黄四两（洗） 芒硝三合

上四味，以水一斗，先煮二味，取五升，去滓，纳大黄，更煮取二升，去滓，纳芒硝，更上火令一二沸，分温再服。一服得利，止后服。

【661】少阴病，自利清水，色纯青，心下必痛，口干燥者，可下之，宜大承气汤。

【662】少阴病，六七日，腹胀不大便者，急下之，宜大承气汤（方见上）。

【663】少阴病，脉沉者，急温之，宜四逆汤。

四逆汤方① 甘草二两（炙） 附子大者一枚（生用，去皮，破八片） 干姜二两半 人参二两

上四味，以水三升，煮取一升二合，去滓，分温再服。

———————

① 本书中，名为"四逆汤"而药量如此者，仅此一条。

【664】少阴病，饮食入口即吐，或心中温温欲吐，复不能吐，始得之，手足寒，脉弦迟者，此胸中实，不可下也，当吐之；若膈上有寒饮，干呕者，不可吐也，当温之，宜四逆汤（方见上）。

【665】少阴病，下利，脉微涩，呕而汗出，必数更衣，反少者，当温其上，灸之。

辨厥阴病脉证并治

【666】厥阴之为病，消渴，气上撞心，心中疼热，饥而不欲食，食则吐蛔，下之，利不止。

【667】厥阴中风，脉微浮，为欲愈；不浮，为未愈。

【668】蹶阴欲解时，从丑至卯上。

【669】厥阴病，渴欲饮水者，少少与之，愈。

【670】诸四逆厥者，不可下之，虚家亦然。

【671】伤寒，先厥，后发热而利者，必自止。见厥，复利。

【672】伤寒，始发热六日，厥反九日而利。凡厥利者，当不能食，今反能食者，恐为除中。食以素饼，不发热者，知胃气尚在，必愈。恐暴热来出而复去也，后日脉之，其热续在者，期之旦日夜半愈。所以然者，本发热六日，厥反九日，复发热三日，并前六日亦为九日，与厥相应，故期之旦日夜半愈。后三日脉之，而脉数，其热不罢者，此为热气有余，必发痈脓也。

【673】伤寒六七日，脉迟，而反与黄芩汤彻其热。脉迟为寒，今与黄芩汤复除其热，腹中应冷。今反能食，此

名除中，必死。

【674】伤寒，先厥后发热，下利必自止，而反汗出，咽中痛者，其喉为痹；发热无汗，而利必自止，若不止，必便脓血。便脓血者，其喉不痹。

【675】伤寒，一二日至四五日厥者，必发热，前热者后必厥。厥深者，热亦深；厥微者，热亦微。厥应下之，而反发汗者，必口伤烂赤。

【676】伤寒病，厥五日，热亦五日，设六日当复厥，不厥者自愈。厥终不过五日，以热五日，知自愈。

【677】凡厥者，阴阳气不相顺接，便为厥。厥者，手足逆冷是也。

【678】伤寒，脉微而厥，至七八日，肤冷，其人躁，无暂安时者，此为脏厥，非蛔厥也。蛔厥者，其人当吐蛔。今病者静，而复时烦，此为脏寒，蛔上入其膈，故烦，须臾复止，得食而呕又烦者，蛔闻食臭出，其人当自吐蛔。蛔厥者，乌梅丸主之，又主久利。

乌梅丸方 乌梅三百枚　细辛六两　干姜十两　黄连十六两　当归四两　附子六两（炮，去皮）　蜀椒四两（出汗）　桂枝六两（去皮）　人参六两　黄柏六两

上十味，异捣筛，合治之，以苦酒渍乌梅一宿，去核，蒸之五斗米下。饭熟，捣成泥，和药令相得，纳臼中，与蜜，杵二千下，丸如梧桐子大。先食饮，服十丸，日三服，稍加至二十丸。禁生冷、滑物、臭食等。

【679】伤寒，热少，微厥，指头寒，嘿嘿不欲食，烦躁。数日小便利、色白者，此热除也，欲得食，其病为愈；若厥而呕，胸胁烦满者，其后必便血。

【680】病者手足厥冷，不结胸，小腹满，按之痛者，此冷结在膀胱关元也。

【681】伤寒，发热四日，厥反三日，复热四日，厥少热多者，其病当愈；四日至七日，热不除者，必便脓血。

【682】伤寒，厥四日，热反三日，复厥五日，其病为进。寒多热少，阳气退，故为进也。

【683】伤寒六七日，脉微，手足厥冷，烦躁，灸厥阴，厥不还者，死。

【684】伤寒，发热，下利，厥逆，躁不得卧者，死。

【685】伤寒，发热，下利至甚，厥不止者，死。

【686】伤寒六七日不利，便发热而利，其人汗出不止者，死，有阴无阳故也。

【687】伤寒五六日，不结胸，腹濡，脉虚，复厥者，不可下也。此为亡血，下之则死。

【688】伤寒，发热而厥，七日下利者，为难治。

【689】伤寒，脉促，手足厥逆，不可灸之。

【690】伤寒，脉滑而厥者，里有热也，白虎汤主之。

白虎汤方 知母六两 石膏一斤（碎，绵裹） 甘草二两（炙） 粳米六合

上四味，以水一斗，煮米熟汤成，去滓，温服一升，日三服。

【691】伤寒，手足厥逆，脉细欲绝者，当归四逆加人参附子汤主之；若其人内有久寒者，当归四逆加吴茱萸生姜附子汤主之。

当归四逆加人参附子汤方 当归三两 桂枝三两（去皮） 芍药三两 细辛三两 甘草二两（炙） 木通二两

大枣二十五枚（劈） 人参三两 附子一枚（炮，去皮，破八片）

上九味，以水八升，煮取三升，去滓，温服一升，日三服。

当归四逆加吴茱萸生姜附子汤方 吴茱萸二升 生姜半斤 附子一枚（炮，去皮，破八片） 当归三两 桂枝三两（去皮） 芍药三两 细辛三两 甘草二两（炙） 木通二两 大枣二十五枚（劈）

上十味，以水六升，清酒六升，和煮取三升，温服一升，日三服。

【692】大汗出，热不去，内拘急，四肢疼，复下利，厥逆而恶寒者，四逆汤主之。

四逆汤方 人参二两 甘草二两 干姜一两半 附子一枚（生用，去皮，破八片）

上四味，以水三升，煮取一升二合，去滓，分温再服。若强可用大附子一枚，干姜二两。

【693】大汗，若大下利而厥逆冷者，四逆汤主之（方见前）。

【694】病人手足厥冷，脉乍紧者，邪结在胸中，心下满而烦，饥不能食者，病在胸中，当须吐之，宜瓜蒂散。

瓜蒂散方 瓜蒂 赤小豆

上二味，各等分，异捣筛，合纳臼中，更治之，别以香豉一合，用热汤七合煮作稀糜，去滓，取汁和散一钱匕，温顿服之；不吐者，少少加，得快吐乃止。诸亡血、虚家，不可与也。

【695】伤寒，厥而心下悸者，宜先治水，当服茯苓甘

草汤，却治其厥。不尔，水渍入胃，必作利也。

茯苓甘草汤方　茯苓二两　甘草一两（炙）　生姜三两切　桂枝二两（去皮）

上四味，以水四升，煮取二升，去滓，分温三服。

【696】伤寒六七日，大下后，寸脉沉而迟，手足厥逆，下部脉不至，咽喉不利，唾脓血，泄利不止者，为难治，人参附子汤主之。不差，复以人参干姜汤与之。

人参附子汤方　人参二两　附子一枚　干姜二枚（炮）　半夏半升（洗）　阿胶二两　柏叶三两

上六味，以水六升，煮取二升，去滓，纳胶烊消。温服一升，日再服。

人参干姜汤方　人参二两　附子一枚　干姜三两　桂枝二两（去皮）　甘草二两（炙）

上五味，以水二升，煮取一升，去滓。温顿服之。

【697】伤寒四五日，腹中痛，若转气下趋少腹者，此欲自利也。

【698】伤寒本自寒，下医复吐下之，寒格，更逆吐下，麻黄升麻汤主之。若食入口即吐，干姜黄芩黄连人参汤主之。

麻黄升麻汤方　麻黄二两半（去节）　升麻一两　知母一两　黄芩一两半　桂枝二两　白术一两　甘草一两（炙）

上七味，以水一斗，先煮麻黄去上沫，纳诸药，煮取三升，去滓。温服一升，日三服。

干姜黄芩黄连人参汤方　干姜三两　黄芩三两　黄连三两　人参三两

上四味，以水六升，煮取二升，去滓，分温再服。

【699】下利，有微热而渴，脉弱者，令自愈。

【700】下利，脉数有微热，汗出者，为欲愈；脉紧者，为未解。

【701】下利，手足厥逆，无脉者，灸之不温，若脉不还，反微喘者，死。少阴负趺阳者，为顺也。

【702】下利，寸脉反浮数，尺中自涩者，必圊脓血，柏叶阿胶汤主之。

柏叶阿胶汤方　柏叶三两　　阿胶二两　　干姜二两（炮）　牡丹① 　三两

上四味，以水三升，先煮三味，取二升，去滓，纳胶烊消。温服一升，日再服。

【703】下利清谷，不可攻表；汗出，必胀满。

【704】下利，脉沉弦者，下重也；脉大者，为未止；脉微弱数者，为欲自止，虽发热，不死。

【705】下利，脉沉而迟，其人面少赤，身有微热，下利清谷者，必郁冒，汗出而解，病人必微厥，所以然者，其面戴阳，下虚故也。

【706】下利，脉数而渴者，令自愈，设不差，必清脓血，以有热故也。

【707】下利后，脉绝，手足厥冷，晬时脉还，手足温者，生；脉不还者，死。

【708】伤寒，下利日十余行，脉反实者，死。

【709】下利清谷，里寒外热，汗出而厥者，通脉四逆汤主之。

---

① “牡丹”：《白云阁本》和《会通本》均作“牡丹皮”。

通脉四逆汤方　甘草二两（炙）　附子大者一枚（生用）　干姜三两　人参二两

上四味，以水三升，煮取一升二合，去滓，分温再服，其脉出者愈。

【710】热利下重者，白头翁汤主之。

白头翁汤方　白头翁二两　黄连　黄柏　秦皮各三两

上四味，以水七升，煮取二升，去滓。温服一升，不愈，更服一升。

【711】下利，其人虚极者，白头翁加阿胶甘草汤主之。

白头翁加阿胶甘草汤方　白头翁二两　甘草二两　阿胶二两　黄连三两　黄柏三两　秦皮三两

上六味，以水七升，煮取二升半，去滓，纳胶烊消，分温三服。

【712】下利，腹胀满，身体疼痛者，先温其里，乃攻其表。温里宜四逆汤，攻表宜桂枝汤（四逆汤方见前）。

桂枝汤方　桂枝三两（去皮）　芍药三两　甘草二两　生姜三两（切）　大枣十二枚（劈）

上五味，以水七升，煮取三升，去滓，温服一升，须臾，啜热粥一升，以助药力，如不差，再服，余如将息禁忌法。

【713】下利，欲饮水者，以有热故也，白头翁汤主之（方见前）。

【714】下利，谵语者，有燥屎也，宜小承气汤。

小承气汤方　大黄四两（酒洗）　枳实三枚（炙）　厚朴二两（去皮尖）

上三味，以水四升，先煮二味，取一升二合，去滓，纳大黄，再煮一二沸，去滓，分温二服，一服谵语止，若更衣者，停后服，不尔，尽服之。

【715】下利后，更烦，按之心下濡者，为虚烦也，宜栀子豉汤。

栀子豉汤方 栀子十四枚（劈） 香豉四合（绵裹）

上二味，以水四升，先煮栀子，取二升，纳豉，更煮取一升半，去滓，分温再服，一服得吐，止后服。

【716】下利，腹痛，若胸痛者，紫参汤主之。

紫参汤方 紫参半斤 甘草三两

上二味，以水五升，先煮紫参取二升，纳甘草，煮取一升半，去滓①，分温再服。

【717】气利，诃黎勒散主之。

诃黎勒散方 诃黎勒十枚（煨）

上一味，为散，粥饮和，顿服之。

【718】呕家，有痈脓者，不可治呕，脓尽自愈。

【719】呕而胸满者，吴茱萸汤主之。

吴茱萸汤方 吴茱萸一升 人参三两 生姜六两（切） 大枣十二枚（劈）

上四味，以水七升，煮取二升，去滓，温服七合，日三服。

【720】干呕，吐涎沫，头痛者，吴茱萸汤主之（方见上）。

【721】呕而发热者，小柴胡汤主之。

小柴胡汤方 柴胡八两 黄芩三两 人参三两 甘草

---

① 《广西八零本》此处有"去滓"二字，《白云阁本》、《会通本》和《广西六零本》均无此二字。

三两（炙）　半夏半升（洗）　生姜三两（切）　大枣十二枚（劈）

上七味，以水一斗二升，煮取六升，去滓，更煎取三升，温服一升，日三服。

【722】呕而脉弱，小便复利，身有微热，见厥者，难治，四逆汤主之（方见前）。

【723】干呕、吐逆、吐涎沫，半夏干姜散主之。

半夏干姜散方　半夏　干姜各等分

上二味，杵为散，取方寸匕，浆水一升半，煮取七合，顿服之。

【724】伤寒，大吐大下之，极虚、复极汗者，以其人外气怫郁，复与之水，以发其汗，因得哕。所以然者，胃中寒冷故也。

【725】伤寒，哕而腹满，视其前后，知何部下①利，利之则愈。

【726】病人胸中似喘不喘，似呕不呕，似哕不哕，彻心中愦愦然无奈者，生姜半夏汤主之。

生姜半夏汤方　生姜一斤　半夏半升（洗）

上二味，以水三升，先煮半夏，取二升，纳生姜汁，煮取一升，去滓②，小冷，分四服，日三夜一。呕止，停后服。

【727】干呕哕，若手足厥者，橘皮汤主之。

橘皮汤方　橘皮四两　生姜半斤

---

① "下"：《长沙古本》作"不"字。
② "去滓"：《白云阁本》、《会通本》和《广西六零本》均无此二字，《广西八零本》有此二字。

上二味，以水七升，煮取三升，去滓，温服一升，下咽即愈。

【728】哕逆，其人虚者，橘皮竹茹汤主之。

橘皮竹茹汤方 橘皮二斤　竹茹二升　人参一两　甘草五两　生姜半斤　大枣三十枚

上六味，以水一斗，煮取三升，去滓，温服一升，日三服。

【729】诸呕，谷不得下者，小半夏汤主之。

小半夏汤方 半夏一升（洗）　生姜半斤（切）

上二味，以水七升，煮取一升半，去滓，分温再服。

【730】便脓血，相传为病，此名疫利。其原因于夏，而发于秋，热燥相搏，逐伤气血，流于肠间，其后乃重，脉洪变数，黄连茯苓汤主之。

黄连茯苓汤方 黄连二两　茯苓三两　阿胶一两半　芍药三两　黄芩三两　半夏一升（洗）

上六味，以水一斗，先煮五味，取三升，去滓，纳胶烊消，分温三服。若胸中热甚者，加黄连一两，合前成三两；腹满者，加厚朴二两；人虚者，加甘草二两；渴者，去半夏，加栝蒌根二两。

【731】病人呕吐涎沫，心痛，若腹痛，发作有时，其脉反洪大者，此虫之为病也，甘草粉蜜汤主之。

甘草粉蜜汤方 甘草二两　白粉一两（即铅粉）　蜜四两

上三味，以水三升，先煮甘草，取二升，去滓，纳粉、蜜搅令和，煎如薄粥，温服一升。差，止后服。

【732】厥阴病，脉弦而紧，弦则卫气不行，紧则不欲

食，邪正相搏，即为寒疝。绕脐而痛，手足厥冷，是其候也。脉沉紧者，大乌头煎主之。

大乌头煎方　乌头大者五枚（熬，去皮）

上一味，以水三升，煮取一升，去滓，纳蜜二升，煎令水气尽，取二升。强人服七合，弱人服五合。不差，明日更服。

【733】寒疝，腹中痛，若胁痛里急者，当归生姜羊肉汤主之。

当归生姜羊肉汤方　当归三两　生姜五两（切）　羊肉一斤

上三味，以水八升，煮取三升，温服七合，日三眼。寒多者加生姜成一斤；痛多而呕者，加橘皮二两，白术一两。加生姜者，亦加水五升，煮取三升二合，分温三服。

【734】寒疝，腹中痛，手足不仁，若逆冷，若身疼痛，灸刺诸药不能治者，乌头桂枝汤主之。

乌头桂枝汤方　乌头五枚

上一味，以蜜二升，煮减半，去滓，以桂枝汤五合解之，令得一升。初服二合，不知，即服三合，又不知，加至五合。其知者，如醉状。得吐者，为中病。

【735】病人睾丸，偏有大小，时有上下，此为狐疝，宜先刺厥阴之俞，后与蜘蛛散。

蜘蛛散方　蜘蛛十四枚（熬）　桂枝一两

上二味，为散，以白饮和服方寸匕，日再服。蜜丸亦可。

【736】寸口脉浮而迟，浮则为虚，迟则为劳；虚则卫气不足，劳则荣气竭。

【737】趺阳脉浮而数，浮则为气，数则消谷而大坚；气盛则溲数，溲数则坚。坚数相搏，即为消渴。

【738】消渴，小便多，饮一斗，小便亦一斗者，肾气丸主之。

肾气丸方 地黄八两 山药四两 山茱萸四两 泽泻三两 牡丹皮三两 茯苓三两 桂枝一两（去皮） 附子一枚（炮）

上八味，末之，炼蜜和丸，如梧子大，酒下十五丸，渐加至二十五丸，日再服，白饮下亦可。

【739】消渴，脉浮有微热，小便不利者，五苓散主之。

五苓散方 猪苓十八铢（去皮） 泽泻一两六铢 白术十八铢 茯苓十八铢 桂枝半两（去皮）

上五味，为末，以白饮和服方寸匕，日三服，多饮暖水，汗出愈。

【740】消渴，欲饮水，胃反而吐者，茯苓泽泻汤主之。

茯苓泽泻汤方 茯苓半斤 泽泻四两 甘草二两 桂枝二两（去皮） 白术三两 生姜四两

上六味，以水一斗，煮取三升，去滓。温服一升，日三服。

【741】消渴，欲得水，而食饮不休者，文蛤汤主之。

文蛤汤方 文蛤五两 麻黄三两 甘草三两 生姜三两（切） 石膏五两 杏仁五十枚 大枣十二枚（劈）

上七味，以水六升，煮取二升，去滓，温服一升，汗出即愈。若不汗，再服。

【742】小便痛闷，下如粟状，少腹弦急，痛引脐中，其名曰淋，此热结在下焦也，小柴胡加茯苓汤主之。

小柴胡加茯苓汤方　柴胡半斤　黄芩三两　人参二两　半夏半升（洗）　甘草三两　生姜二两（切）　大枣十二枚（劈）　茯苓四两

上八味，以水一斗二升，煮取六升，去滓，再煎，取三升，温服一升，日三服。

伤寒杂病论卷第十二

辨霍乱吐利病脉证并治

【743】问曰：病有霍乱者何？答曰：呕吐而利，此名霍乱。

【744】师曰：霍乱属太阴，霍乱必吐利，吐利不必尽霍乱。霍乱者，由寒热杂合混乱于中也。热气上逆故吐，寒气下注故利，其有饮食不节，壅滞于中，上者竟上则吐，下者竟下则利，此名吐利，非霍乱也。

【745】问曰：病有发热、头痛、身疼、恶寒、吐利者，此属何病？答曰：此非霍乱。霍乱自吐下，今恶寒，身疼，复更发热，故知非霍乱也。

【746】霍乱呕吐下利，无寒热，脉濡弱者，理中汤主之。

理中汤方　人参三两　　白术三两　　甘草三两　　干姜三两

上四味，以水八升，煮取三升，去滓。温服一升，日三服。

【747】先吐后利，腹中满痛，无寒热，脉濡弱而涩者，此宿食也，白术茯苓半夏枳实汤主之。

白术茯苓半夏枳实汤方　白术三两　茯苓四两　半夏一升（洗）　枳实一两半

上四味，以水六升，煮取三升，去滓，分温三服。

【748】胸中满，欲吐不吐，下利时疏，无寒热，腹中绞痛，寸口脉弱而结者，此宿食在上故也，宜瓜蒂散。

瓜蒂散方　瓜蒂一分　赤小豆一分

上二味，杵为散，以香豉七合，煮取汁，和散一钱匕，温服之，不吐者少加之，以快吐为度而止。

【749】霍乱呕吐，下利清谷，手足厥冷，脉沉而迟者，四逆汤主之。

四逆汤方　甘草二两（炙）　干姜一两半　附子一枚（生用，去皮，破八片）　人参二两

上四味，以水六升，煮取三升，去滓，分温三服。

【750】吐利发热，脉濡弱而大者，白术石膏半夏干姜汤主之。

白术石膏半夏干姜汤方　白术三两　石膏半斤（绵裹）　半夏半升（洗）　干姜二两

上四味，以水六升，煮取三升，去滓，分温三服。渴者加人参二两，黄连一两。

【751】呕吐甚则蛔出，下利时密时疏，身微热，手足厥冷，面色青，脉沉弦而紧者，四逆加吴茱萸黄连汤主之。

四逆加吴茱萸黄连汤方　附子一枚（生用，去皮，破八片）　干姜一两半　甘草二两（炙）　人参二两　吴茱萸半升　黄连一两

上六味，以水六升，煮取二升，去滓，温服一升，日再服。

【752】霍乱吐、利，口渴，汗出，短气，脉弱而濡者，理中加人参栝蒌根汤主之。

理中加人参栝蒌根汤方　人参四两　白术三两　甘草三两　干姜三两　栝蒌根二两

上五味，以水八升，煮取三升，去滓，温服一升，日三服。

【753】饮水即吐，食谷则利，脉迟而弱者，理中加附子汤主之。

理中加附子汤方　人参三两　白术三两　甘草三两干姜三两　附子一枚

上五味，以水八升，煮取三升，去滓，温服一升，日三服。

【754】腹中胀满而痛，时时上下，痛气上则吐，痛气下则利，脉濡而涩者，理中汤主之（方见上）。

【755】霍乱证，有虚实，因其人本有虚实，证随本变故也。虚者，脉濡而弱，宜理中汤（方见前）；实者，脉急而促，宜葛根黄连黄芩甘草汤。

葛根黄连黄芩甘草汤方　葛根半斤　黄连三两　黄芩三两　甘草二两（炙）

上四味，以水八升，先煮葛根减二升，去上沫，纳诸药，煮取二升，去滓，分温再服。

【756】霍乱，转筋，必先其时已有寒邪留于筋间，伤其荣气，随证而发，脉当濡弱，反见弦急厥逆者，理中加附子汤主之（方见前）。

【757】霍乱已，头痛，发热，身疼痛，热多，欲饮水者，五苓散主之；寒多，不饮水者，理中丸主之。

五苓散方 猪苓十八铢 白术十八铢 茯苓十八铢 桂枝半两 泽泻一两六铢

上五味，捣为散，以白饮和服方寸匕，日三服，多饮暖水，汗出愈，将息如法。

理中丸方 人参三两 干姜三两 甘草三两 白术三两

上四味，捣筛，蜜和为丸，如鸡子黄大，以沸汤数合和一丸，研碎温服，日三服，夜二服，腹中未热，可益至三四丸。

【758】伤寒，其脉微涩者，本是霍乱，今是伤寒，却四五日，至阴经上，若转入阴者，必利；若欲似大便，而反失气，仍不利者，此属阳明也，便必鞕，十三日愈。所以然者，经尽故也。

【759】下利后，便当鞕，鞕则能食者，愈；今反不能食，到后经中，颇能食，复过一经亦能食，过之一日当愈，不愈者，不属阳明也。

【760】伤寒，脉微而复利，利自止者，亡血也，四逆加人参汤主之。

四逆加人参汤方 甘草二两（炙） 附子一枚（生用，去皮，破八片） 干姜一两半 人参三两

上四味，以水三升，煮取一升二合，去滓，分温再服。

【761】吐、利止，而身痛不休者，当消息和解其外，宜桂枝汤。

桂枝汤方 桂枝三两（去皮） 芍药三两 甘草二两（炙） 生姜三两（切） 大枣十二枚（劈）

上五味，以水七升，煮取三升，去滓，温服一升，日

三服，将息禁忌如太阳法。

【762】吐、利，汗出，发热，恶寒，四肢拘急，手足厥冷者，四逆汤主之（方见前）。

【763】既吐且利，小便复利而大汗出，下利清谷，内寒外热，脉微欲绝者，四逆汤主之（方见前）。

【764】吐已下断，汗出而厥，四肢拘急不解，脉微欲绝者，通脉四逆加猪胆汁汤主之。

通脉四逆加猪胆汁汤方　甘草二两（炙）　干姜三两 附子大者一枚（生用）　猪胆汁半合　人参二两

上五味，以水三升，先煮四味，取一升，去滓，纳猪胆汁搅匀，分温再服。

【765】吐、利后，汗出，脉平，小烦者，以新虚不胜谷气故也。

辨痉阴阳易差后病脉证并治

【766】太阳病，发热，无汗，而恶寒者，若脉沉迟，名刚痉。

【767】太阳病，发热，汗出，不恶寒者，若脉浮数，名柔痉。

【768】太阳病，发热，脉沉而细者，名曰痉，为难治。

【769】太阳病，发汗太多，因致痉。

【770】风病，下之则痉，复发汗，必拘急。

【771】疮家，不可发汗，汗出则痉。

【772】病者身热足寒，颈项强急，恶寒，时头热，面赤目赤，独头动摇，卒口噤，背反张者，痉病也。若发其

汗，寒湿相得，其表益虚，则恶寒甚，发其汗已，其脉如蛇，暴脉长大者，为欲解；其脉如故，及伏弦者，为未解。

【773】夫痉脉，按之紧如弦，直上下行。

【774】痉病，有灸疮者，难治。

【775】太阳病，其证备，身体强几几①然，脉反沉迟，此为痉，栝蒌桂枝汤主之。

栝蒌桂枝汤方 栝蒌根三两　桂枝三两（去皮）　甘草二两（炙）　芍药三两　生姜二两（切）　大枣十二枚（擘）

上六味，以水七升，微火煮取三升，去滓，适寒温服一升，日三服。

【776】太阳病，无汗，而小便反少，气上冲胸，口噤不得语，欲作刚痉者，葛根汤主之。

葛根汤方 葛根四两　麻黄三两（去节）　桂枝二两　甘草二两（炙）　芍药二两　生姜三两（切）　大枣十二枚（擘）

上七味，以水一斗，先煮麻黄、葛根减二升，去上沫，纳诸药，煮取三升，去滓，温服一升，覆取微似汗，不汗再进一升，得汗停后服。

【777】痉病，手足厥冷，发热间作，唇青目陷，脉沉弦者，风邪入厥阴也，桂枝加附子当归细辛人参干姜汤主之。

桂枝加附子当归细辛人参干姜汤方 桂枝三两（去皮）　芍药三两　甘草二两（炙）　当归四两　细辛一两　附子一枚（炮）　人参二两　干姜一两半　生姜三两（切）　大

---

① "几几"：参见《卷六·第316条》注。

枣十二枚（劈）

上十味，以水一斗二升，煮取四升，去滓，温服一升，日三服，夜一服。

【778】痉病，本属太阳，若发热，汗出，脉弦而实者，转属阳明也，宜承气辈与之。

【779】痉病，胸满，口噤，卧不着席，脚挛急，必骱齿，宜大承气汤。

大承气汤方 大黄四两（酒洗） 厚朴半斤（去皮）枳实五枚（炙） 芒硝三合

上四味，以水一斗，先煮枳实、厚朴取五升，去滓，纳大黄，煮取二升，去滓，纳芒硝，更上微火一两沸，分温再服，得一服下者，止后服。

【780】伤寒，阴阳易之为病，其人身体重，少气，少腹里急，或引阴中拘挛，热上冲胸，头重不欲举，眼中生花，膝胫拘急者，烧裈散主之。

烧裈散方 剪取妇人中裈近隐处，烧灰，以水和服方寸匕，日三服，小便即利，阴头微肿则愈。妇人病取男子裈裆烧，和服如法。

【781】大病差后，劳复者，枳实栀子豉汤主之；若有宿食者，加大黄如博棋子大五六枚。

枳实栀子豉汤方 枳实三枚（炙） 栀子十四枚（劈）香豉一升（绵裹）

上三味，以清浆水七升，空煮取四升，纳枳实、栀子煮取二升，纳香豉更煮五六沸，去滓，温分再服，覆令微似汗。

【782】伤寒差已后，更发热者，小柴胡汤主之；脉浮

者，以汗解之；脉沉实者，以下解之。

小柴胡汤方 柴胡八两　黄芩三两　人参三两　甘草三两（炙）　半夏半升（洗）　生姜三两（切）　大枣十二枚（劈）

上七味，以水一斗二升，煮取六升，去滓，再煎取三升，温服一升，日三服。

【783】大病差后，从腰以下有水气者，牡蛎泽泻散主之。

牡蛎泽泻散方 牡蛎　泽泻　栝蒌根　蜀漆（洗去腥）　葶苈（熬）　商陆根（熬）　海藻（洗去腥）

上七味等分，异捣，下筛为散，更入臼中治之，白饮和服方寸匕，日三服，小便利，止后服。

【784】大病差后，喜唾，久不了了，胸上有寒也，当以丸药温之，宜理中丸（方见霍乱篇）。

【785】伤寒解后，虚羸少气，气逆欲吐者，竹叶石膏汤主之。

竹叶石膏汤方 竹叶二把　石膏一斤　半夏半升（洗）　人参三两　麦门冬一升　甘草二两（炙）　粳米半升

上七味，以水一斗，先煮六味，取六升，去滓，纳粳米，煮米熟汤成，去米，温服一升，日三服。

【786】大病已解，而日暮微烦者，以病新差，人强与谷，脾胃之气尚弱，不能消谷，故令微烦，损谷则愈。

伤寒杂病论卷第十三

辨百合狐惑阴阳毒病脉证并治

【787】百合病者，百脉一宗，悉致其病也。意欲食，复不能食，常默默，欲卧不能卧，欲行不能行，饮食或有美时，或有不欲闻食臭时，如寒无寒，如热无热，口苦，小便赤，诸药不能治，得药则剧吐利，如有神灵者，身形如和，其脉微数。每溺时头痛者，六十日乃愈；若溺时头不痛，淅淅然者，四十日愈；若溺时快然，但头眩者，二十日愈。其证或未病而预见，或病四、五日始见，或病至二十日，或一月后见者，各随其证，依法治之。

【788】百合病，见于发汗之后者，百合知母汤主之。

百合知母汤方　百合七枚① 知母三两②

上二味，先以水洗百合，渍一宿，当白沫出，去其水，另以泉水二升，煮取一升，去滓，别以泉水二升，煮知母取一升，去滓，后合煎，取一升五合，分温再服。

【789】百合病，见于下之后者，百合滑石代赭汤主之。

----

① 《白云阁本》和《会通本》此处有"劈"字。

② 《白云阁本》和《会通本》此处有"切"字。

百合滑石代赭汤方　百合七枚①　滑石三两②　代赭石如弹丸大（碎，绵裹）

上三味，以水先洗，煮百合如前法，别以泉水二升，煮二味，取一升，去滓，合和，重煎，取一升五合，分温再服。

【790】百合病，见于吐之后者，百合鸡子黄汤主之。

百合鸡子黄汤方　百合七枚③　鸡子黄一枚

上二味，先洗煮百合如前法，去滓，纳鸡子黄，搅匀，顿服之。

【791】百合病，不经发汗、吐下，病形如初者，百合地黄汤主之。

百合地黄汤方　百合七枚④　地黄汁一升

上二味，先洗煮百合如上法，去滓，纳地黄汁，煎取一升五合，分温再服。中病，勿更服，大便当如漆。

【792】百合病，一月不解，变成渴者，百合洗方主之。不差，栝蒌牡蛎散主之。

百合洗方　百合一升

上一味，以水一斗，渍之一宿，以洗身。洗已，食煮饼，勿以盐豉也。

栝蒌牡蛎散方　栝蒌根　牡蛎（熬）各等分
上二味，捣为散，白饮和服方寸匙，日三服。

【793】百合病，变发热者，百合滑石散主之。

---

① 《白云阁本》和《会通本》此处有"劈"字。
② 《白云阁本》和《会通本》此处有"碎，绵裹"。
③ 《白云阁本》和《会通本》此处有"劈"字。
④ 《白云阁本》和《会通本》此处有"劈"字。

百合滑石散方 百合一两（炙） 滑石二两

上二味，为散，饮服方寸匙，日三服。当微利，热除，则止后服。

【794】百合病，见于阴者，以阳法救之；见于阳者，以阴法救之。见阳攻阴，复发其汗，此为逆；见阴攻阳，乃复下之，此亦为逆。

【795】狐惑之为病，状如伤寒，默默欲眠，目不得闭，卧起不安。蚀于喉为惑，蚀于阴为狐。不欲饮食，恶闻食臭，其面目乍赤、乍黑、乍白。蚀于上部则声嗄，甘草泻心汤主之；蚀于下部则咽干，苦参汤洗之；蚀于肛者，雄黄熏之。

甘草泻心汤方 甘草四两（炙） 黄芩三两 干姜三两 半夏升半（洗） 黄连一两 大枣十二枚（劈）

上六味，以水一斗，煮取六升，去滓，再煎取三升，温服一升，日三服。

苦参汤方 苦参一斤

上一味，以水一斗，煮取七升，去滓，熏洗，日三次。

雄黄散方 雄黄一两

上一味，为末，筒瓦二枚合之，纳药于中，以火烧烟，向肛熏之。

【796】病者脉数，无热微烦，默默但欲卧，汗出。初得之三四日，目赤如鸠眼；七八日，目四眦黑。若能食者，脓已成也，赤豆当归散主之。

赤豆当归散方 赤小豆三升（浸令毛①出，曝干） 当归十两

---

① "毛"：《白云阁本》和《会通本》均作"芽"。

上二味，杵为散，浆水服方寸匕，日三服。

【797】阳毒之为病，面赤斑斑如锦纹，咽喉痛，唾脓血。五日可治，七日不可治。升麻鳖甲汤主之。

升麻鳖甲汤方 升麻二两 蜀椒一两（去汁①） 雄黄五钱②（研） 当归一两 甘草二两 鳖甲一片（炙）

上六味，以水四升，煮取一升，顿服之，不差，再服，取汗。

【798】阴毒之为病，面目青，身痛如被杖，咽喉痛。五日可治，七日不可治。升麻鳖甲汤去雄黄蜀椒主之。

升麻鳖甲去雄黄蜀椒汤方 升麻二两 当归一两 甘草二两 鳖甲一片

上四味，以水二升，煮取一升，去滓，顿服之。不差，再服。

辨疟病脉证并治

【799】师曰：疟病，其脉弦数者，热多寒少；其脉弦迟者，寒多热少。脉弦而小紧者，可下之；弦迟者，可温之，弦紧者，可汗之、针之、灸之；浮大者，可吐之；弦数者，风发也，当于少阳中求之。

【800】问曰：疟病以月一发③者，当以十五日愈，甚者当月尽解。如其不差，当云何？师曰：此结为癥瘕，

---

① "去汁"：《白云阁本》和《会通本》均作"去汗"。
② "五钱"：《白云阁本》和《会通本》均作"半两"。
③ "月一发"：《白云阁本》在勘误表中从《金匮要略》补入一"日"字，成为"月一日发"，《会通本》也从之。

必有疟母，急治之，宜鳖甲煎丸。

鳖甲煎丸方　鳖甲　柴胡　黄芩　大黄　牡丹①　䗪虫　阿胶

上七味，各等分，捣筛，炼蜜为丸，如梧桐子大。每服七丸，日三服，清酒下，不能饮者，白饮亦可。

【801】师曰：阴气孤绝，阳气独发，则热而少气烦悗，手足热而欲呕，此名疸疟，白虎加桂枝人参汤主之。

白虎加桂枝人参汤方　知母六两　石膏一斤（碎，绵裹）　甘草二两（炙）　粳米二合　桂枝三两（去皮）　人参三两

上六味，以水一斗，煮米熟汤成，去滓，温服一升，日三服。

【802】疟病，其脉如平，身无寒，但热，骨节疼烦，时作呕，此名温疟，宜白虎加桂枝汤。

白虎加桂枝汤方　即前方去人参一味

【803】疟病，多寒，或但寒不热者，此名牡②疟，蜀漆散主之，柴胡桂姜汤亦主之。

蜀漆散方　蜀漆（洗去腥）　云母（烧二日夜）　龙骨各等分

上三味，杵为散，未发前以浆水和服半钱匕。

柴胡桂姜汤方　柴胡半斤　桂枝三两（去皮）　干姜二两　栝蒌根四两　黄芩三两　甘草二两（炙）　牡蛎二两（熬）

----

① "牡丹"：《白云阁本》和《会通本》均作"牡丹皮"。

② "牡"：《白云阁本》和《广西八零本》同此，《会通本》作"牝"，《广西六零本》作"壮"。

上七味，以水一斗，煮取六升，去滓，再煎取三升。温服一升，日三服。初服微烦，再服汗出便愈。

辨血痹虚劳病脉证并治

【804】问曰：血痹之病，从何得之？师曰：夫尊荣之人，骨弱肌肤盛，重因疲劳汗出，卧不时动摇，加被微风，遂得之。但以脉寸口微涩，关上小紧，宜针引阳气，令脉和、紧去则愈。

【805】血痹，阴阳俱微，或寸口关上微，尺中小紧，外证身体不仁，如风痹状，黄芪桂枝五物汤主之。

黄芪桂枝五物汤方　黄芪三两　桂枝三两（去皮）芍药三两　生姜六两（切）　大枣十二枚（劈）

上五味，以水六升，煮取二升。温服七合，日三服。

【806】男子平人，脉大为劳，极虚亦为劳。

【807】男子面色薄者，主渴及亡血。卒喘悸，脉浮者，里虚也。

【808】男子脉虚沉弦，无寒热，短气里急，小便不利，面色白，时目瞑兼衄，少腹满，此为劳使之然。

【809】劳之为病，其脉浮大，手足烦，春夏剧，秋冬差，阴寒精自出，酸削不能行。

【810】男子脉浮弱涩，为无子，精气清冷。

【811】失精家，少阴脉弦急，阴头寒，目眩，发落。脉极虚芤迟者，为清谷、亡血、失精；脉得诸芤动微紧者，男子则失精，女子则梦交，桂枝龙骨牡蛎汤主之，天雄散亦主之。

桂枝龙骨牡蛎汤方 桂枝三两（去皮） 芍药三两 甘草二两（炙） 生姜三两 大枣十二枚 龙骨三两 牡蛎三两

上七味，以水七升，煮取三升，去滓，分温三服。

天雄散方 天雄三两（炮） 白术八两 桂枝六两 龙骨三两

上四味，杵为散，酒服半钱匕，日三服。不知稍增，以知为度。

【812】男子平人，脉虚弱细微者，喜盗汗也。

【813】人年五六十，其脉大者，病痹挟背行；若肠鸣，马刀挟瘿者，皆为劳得之也。其脉小沉迟者，病脱气，疾行则喘渴①，手足逆寒者，亦劳之为病也。

【814】虚劳里急，悸，衄，腹中痛，梦失精，四肢酸疼，手足烦热，咽干口燥者，小建中汤主之。

小建中汤方 桂枝三两（去皮） 芍药六两 甘草三两（炙） 生姜三两（切） 大枣十二枚（劈） 饴糖一升

上六味，以水七升，煮取三升，去滓，纳胶饴，更上微火消解，温服一升，日三服。

【815】虚劳里急，诸不足者，黄芪建中汤主之。

黄芪建中汤方 即前方小建中加黄芪一两半。气短胸满者，加生姜一两；腹满者，去大枣，加茯苓一两半；大便秘结者，去大枣，加枳实一两半；肺气虚损者，加半夏三两。

【816】虚劳腰痛，少腹拘急，小便不利者，肾气丸主之。

---

① "渴"：《白云阁本》和《会通本》均作"喝"。

肾气丸方　地黄八两　山药四两　山茱萸四两　泽泻三两　牡丹皮三两　茯苓三两　桂枝一两（去皮）附子一枚（炮）

上八味，捣筛，炼蜜和丸，如梧桐子大，酒下十五丸，渐加至二十五丸，日再服。不能饮者，白饮下之。

【817】虚劳虚烦不得眠，酸枣仁汤主之。

酸枣仁汤方　酸枣仁二升　甘草一两　知母二两　茯苓二两　芎䓖一两

上五味，以水八升，煮酸枣仁得六升，纳诸药，煮取三升，去滓，温服一升，日三服。

【818】五劳虚极羸瘦，腹满不能饮食，食伤，忧伤，饮伤，房室伤，饥伤，劳伤，经络荣卫气伤，内有干血，肌肤甲错，两目黯黑，缓中补虚，大黄䗪虫丸主之。

大黄䗪虫丸方　大黄十两　黄芩二两　甘草三两　桃仁一升　杏仁一升　芍药四两　地黄十两　干漆一两　虻虫一升　水蛭百枚　蛴螬一升　䗪虫半升

上十二味，末之，炼蜜和丸，如小豆大，酒饮服五丸，日三服。

【819】女劳，膀胱急，少腹满，身尽黄，额上黑，足下热，其腹胀如水状，大便溏而黑，胸①满者，难治。硝石矾石散主之。

硝石矾石散方　硝石（熬黄）矾石（烧）各等分

上二味，为散，大麦粥汁和服方寸匙，日三服。大便黑，小便黄，是其候也。

***

① "胸"：《白云阁本》和《会通本》均作"腹"。

伤寒杂病论卷第十四

辨咳嗽水饮黄汗历节病脉证并治

【820】师曰：咳嗽发于肺，不专属于肺病也，五脏六腑感受客邪皆能致咳。所以然者，邪气上逆，必干于肺，肺为气动，发声为咳。欲知其源，必察脉息，为子条记，传与后贤。

【821】肺咳，脉短而涩。假令浮而涩①，知受风邪；紧短而涩，知受寒邪；数短而涩，知受热邪；急短而涩，知受燥邪；濡短而涩，知受湿邪。此肺咳之因也。其状则喘息有音，甚则唾血。

【822】心咳，脉大而散。假令浮大而散，知受风邪；紧大而散，知受寒邪；数大而散，知受热邪；急大而散，知受燥邪；濡大而散，知受湿邪。此心咳之因也。其状则心痛，喉中介介如梗，甚则咽肿喉痹。

【823】肝咳，脉弦而涩。假令浮弦而涩，知受风邪；弦紧而涩，知受寒邪；弦数而涩，知受热邪；弦急而涩，

---

① "浮而涩"：《会通本》作"浮短"，《白云阁本》原无"短"字，勘误补入。

知受燥邪；弦濡而涩，知受湿邪。此肝咳之因也。其状则两胁下痛，甚则不可以转，转则两胠下满。

【824】脾咳，脉濡而涩。假令浮濡而涩，知受风邪；沉濡而涩，知受寒邪；数濡而涩，知受热邪；急濡而涩，知受燥邪；迟濡而涩，知受湿邪。此脾咳之因也。其状则右肋下痛，隐隐引背，甚则不可以动，动则咳剧。

【825】肾咳，脉沉而濡。假令沉弦而濡，知受风邪；沉紧而濡，知受寒邪；沉数而濡，知受热邪；沉急而濡，知受燥邪；沉滞而濡，知受湿邪。此肾咳之因也。其状则肩背相引而痛，甚则咳涎。

【826】肺咳不已，则流于大肠，脉与肺同，其状则咳而遗矢也。

【827】心咳不已，则流于小肠，脉与心同，其状则咳而失气，气与咳俱失也。

【828】肝咳不已，则流于胆，脉与肝同，其状则呕苦汁也。

【829】脾咳不已，则流于胃，脉与脾同，其状则呕，呕甚则长虫出也。

【830】肾咳不已，则流于膀胱，脉与肾同，其状则咳而遗溺也。

【831】久咳不已，则移于三焦，脉随证易，其状则咳而腹满，不欲食饮也。

【832】咳而有饮者，咳不得卧，卧则气急，此为实；咳不能言，言则气短，此为虚。咳病多端，治各异法，谨守其道，庶可万全。

【833】咳家其脉弦者，此为有水，十枣汤主之。

十枣汤方 芫花（熬） 甘遂 大戟各等分

上三味，捣筛，以水一升五合，先煮肥大枣十枚，取八合，去滓，纳药末，强人服一钱匕，羸人服半钱匙，平旦温服之，不下，明日更加半钱，得快利后，糜粥自养。

【834】咳而气逆，喉中作水鸡声者，射干麻黄汤主之。

射干麻黄汤方 射干三两 麻黄三两 半夏半升（洗） 五味子半升 生姜四两 细辛三两 大枣七枚（劈）

上七味，以水一斗二升，先煮麻黄，去上沫，纳诸药，煮取三升，分温三服。

【835】咳逆上气，时唾浊痰，但坐不得眠者，皂荚丸主之。

皂荚丸方 皂荚八两（刮去皮，酥炙）

上一味，末之，蜜丸如梧桐子大，以枣膏和汤，服三丸，日三服，夜一服。

【836】咳而脉浮者，厚朴麻黄汤主之。

厚朴麻黄汤方 厚朴五两 麻黄四两 石膏如鸡子大 杏仁半升 半夏半升（洗） 五味子半升

上六味，以水一斗，先煮麻黄，去沫，纳诸药，煮取三升，去滓，分温三服。

【837】咳而脉沉者，泽漆汤主之。

泽漆汤方 半夏半升（洗） 紫参五两 泽漆三升 生姜五两（切） 人参三两 甘草三两（炙）

上六味，以东流水五斗，先煮泽漆，取一斗五升，纳诸药，煮取五升，温服五合，日夜服尽。

【838】咳而上气，咽喉不利，脉数者，麦门冬汤主之。

麦门冬汤方 麦门冬七升 半夏一升（洗） 人参二两 甘草二两（足） 粳米三合 大枣十二枚（劈）

上六味，以水一斗二升，煮取六升，去滓，温服一升，日三服，夜三服。

【839】咳逆倚息，不得卧，脉浮弦者，小青龙汤主之。

小青龙汤方 麻黄三两 甘草三两（炙） 桂枝三两（去皮） 芍药三两 五味子半升 干姜三两 半夏半升 细辛三两

上八味，以水一斗，先煮麻黄，减二升，去上沫，纳诸药，煮取三升，去滓，分温三服。

【840】咳而胸满，振寒脉数，咽干不渴，时出浊唾腥臭，久久吐脓，如米粥者，此为肺痈，桔梗汤主之。

桔梗汤方 桔梗一两 甘草二两

上二味，以水三升，煮取二升，去滓，分温再服。

【841】咳而气喘，目如脱状，脉浮大者，此为肺胀，越婢加半夏汤主之，小青龙加石膏汤亦主之。

越婢加半夏汤方 麻黄六两 石膏半斤 甘草二两 生姜三两（切） 大枣十五枚（劈） 半夏半升（洗）

上六味，以水六升，先煮麻黄，去上沫，纳诸药，煮取三升，去滓，分温三服。

小青龙加石膏汤方 即前小青龙汤加石膏二两。

【842】咳而气逆，喘鸣迫塞，胸满而胀，一身面目浮肿，鼻出清涕，不闻香臭，此为肺胀，葶苈大枣泻肺汤主之。

葶苈大枣泻肺汤方 葶苈（熬令黄色，捣丸如弹子大） 大枣十二枚（劈）

上二味，以水三升，先煮大枣取二升，去枣，纳葶苈，煮取一升，去滓，顿服。

【843】似咳非咳，唾多涎沫，其人不渴，此为肺冷，甘草干姜汤主之。

甘草干姜汤方　甘草四两（炙）　干姜二两（炮）

上二味，以水三升煮取一升五合，去滓，分温再服。

【844】咳而唾涎沫不止，咽燥，口渴，其脉浮细而数者，此为肺痿，炙甘草汤主之。

炙甘草汤方　甘草四两（炙）　桂枝三两（去皮）

麦门冬半升　麻仁半升　地黄一斤　阿胶二两　人参二两　生姜三两（切）　大枣三十枚（劈）

上九味，以酒七升，水八升，先煮八味，取三升，去滓，纳胶消尽，温服一升，日三服。

【845】问曰：饮病奈何？师曰：饮病有四，曰痰饮，曰悬饮，曰溢饮，曰支饮。其人素盛今瘦，水走肠间，沥沥有声，为痰饮；水流胁下，咳唾引痛，为悬饮；水归四肢，当汗不汗，身体疼重，为溢饮；水停膈下，咳逆倚息，短气不得卧，其形如肿，为支饮。

【846】水在心，则心下坚筑，短气，恶水不欲饮；水在肺，必吐涎沫，欲饮水；水在脾，则少气身重；水在肝，则胁下支满，嚏则胁痛；水在肾，则心下悸。

【847】心下有留饮，其人必背寒冷如掌大，咳①则胁下痛引缺盆。

【848】胸中有留饮，其人必短气而渴，四肢历节痛。

【849】夫平人食少饮多，水停心下，久久成病。甚者

---

① "咳"：《白云阁本》和《会通本》均无此字。

则悸，微者短气。脉双弦者寒也，脉偏弦者饮也。

【850】夫短气有微饮者，当从小便去之。

【851】病者脉伏，其人欲自利，利反快，虽利，心下续坚满，此为留饮，甘遂半夏汤主之。

甘遂半夏汤方 甘遂大者三枚 半夏十二枚（洗）芍药五枚 甘草如指大一枚（炙）

上四味，以水二升，煮取半升，去滓，以蜜半升和药汁，煎取八合，顿服。

【852】心下有痰饮，胸胁支满，目眩，脉沉弦者，茯苓桂枝白术甘草汤主之。

茯苓桂枝白术甘草汤方 茯苓四两 桂枝三两（去皮） 白术三两 甘草二两（炙）

上四味，以水六升，煮取三升，去滓，分温三服，小便利则愈。

【853】悬饮内痛，脉沉而弦者，十枣汤主之（方见前）。

【854】病溢饮者，当发其汗，大青龙汤主之，小青龙汤亦主之。

大青龙汤方 麻黄六两（去节） 桂枝二两（去皮）杏仁四十个（去皮尖） 甘草二两（炙） 石膏如鸡子大（碎） 生姜三两（切） 大枣十二枚（劈）

上七味，以水九升，先煮麻黄减二升，去上沫，纳诸药，煮取三升，去滓，温服一升，覆取微似汗，不汗再服。

【855】膈间支饮，其人喘满，心下痞坚，面色黧黑，其脉沉紧，得之数十日，医吐下之不愈者，木防己汤主之；不差，木防己去石膏加茯苓芒硝汤主之。

木防己汤方 木防己三两 石膏鸡子大十二枚 桂枝二两（去皮） 人参四两

上四味，以水六升，煮取二升，去滓，分温再服。

木防己去石膏加茯苓芒硝汤方 木防己二两 桂枝二两（去皮） 茯苓四两 人参四两 芒硝三合

上四味，以水六升，煮取二升，去滓，纳芒硝，再微煎，分温再服，微利则愈。

【856】心下有支饮，其人苦冒眩，泽泻汤主之。

泽泻汤方 泽泻五两 白术二两

上二味，以水二升，煮取一升，分温再服。

【857】支饮，胸满者，厚朴大黄汤主之。

厚朴大黄汤方 厚朴八两 大黄四两

上二味，以水五升，煮取二升，去滓，温服一升，不差再服。

【858】支饮，不得息，葶苈大枣泻肺汤主之（方见前）。

【859】支饮，口不渴，作呕者，或吐水者，小半夏汤主之。

小半夏汤方 半夏一升（洗） 生姜半斤（切）

上二味，以水七升，煮取一升半，去滓，分温再服。

【860】腹满，口舌干燥，肠间有水气者，防己椒目葶苈大黄丸主之。

防己椒目葶苈大黄丸方 防己 椒目 葶苈 大黄各一两

上四味，捣筛，炼蜜为丸，如梧桐子大，先食，饮服一丸，日三服，不知稍增。

【861】膈间有水气，呕吐眩悸者，小半夏加茯苓汤主之。

小半夏加茯苓汤方 半夏一升（洗） 生姜半斤（切）茯苓四两

上三味，以水七升，煮取二升，去滓，分温再服。

【862】病人脐下悸，吐涎沫而头眩者，此有水也，五苓散主之。

五苓散方 猪苓十八铢（去皮） 泽泻一两六铢 白术十八铢 茯苓十八铢 桂枝半两（去皮）

上五味，捣为散，以白饮和方寸匕，日三眼，多饮暖水，汗出愈，如法将息。

【863】师曰：病有风水，有皮水，有正水，有石水，有黄汗。风水其脉自浮，其证骨节疼痛，恶风。皮水其脉亦浮，其证胕肿，按之没指，不恶风，腹如鼓，不渴，当发其汗。正水其脉沉迟，其证为喘。石水其脉自沉，其证腹满不喘，当利其小便。黄汗其脉沉迟，其证发热，胸满，四肢头面肿，久不愈，必致痈脓。

【864】脉浮而洪，浮则为风，洪则为气。风气相搏，风强则为瘾疹，身体为痒，痒者为泄风，久为痂癞；气强则为水，难以俯仰，身体洪肿，汗出乃愈。恶风则虚，此为风水；不恶风者，小便通利，上焦有寒，其口多涎，此为黄汗。

【865】寸口脉沉滑者，中有水气，面目肿大，有热，名曰风水。其人之目窠上微肿，如蚕新卧起状，其颈脉动，时时咳，按其手足上，陷而不起者，亦曰风水。

【866】太阳病，脉浮而紧，法当骨节疼痛，今反不痛，

体重而酸，其人不渴，此为风水，汗出即愈；恶寒者此为极虚，发汗得之。渴而不恶寒者，此为皮水。身肿而冷，状如周痹，胸中窒，不能食，反聚痛，躁不得眠，此为黄汗。痛在骨节，咳而喘，不渴者，此为正水，其状如肿，发汗则愈。然诸病此者，若渴而下利、小便数者，皆不可发汗，但当利其小便。

【867】心水为病，其身重而少气，不得卧，烦躁，阴肿。

【868】肝水为病，其腹大，不能自转侧，胁下痛，津液微生，小便续通。

【869】肺水为病，其身肿，小便难，时时鸭溏。

【870】脾水为病，其腹大，四肢苦重，津液不生，但苦少气，小便难。

【871】肾水为病，其腹大，脐肿，腰痛，不行溺，阴下湿如牛鼻上汗，其足逆冷，面反瘦。

【872】诸有水者，腰以下肿，当利小便；腰以上肿，当发汗乃愈。

【873】寸口脉沉而迟，沉则为水，迟则为寒。寒水相搏，脾气衰则鹜溏，胃气衰则身肿，名曰水分。

【874】少阳脉卑，少阴脉细，男子则小便不利，妇人则经水不利，名曰血分。

【875】妇人经水，前断后病水者，名曰血分，此病难治；先病水，后经水断，名曰水分，此病易治，水去则经自下也。

【876】寸口脉沉而数，数则为出，沉则为入，出为阳实，入为阴结；趺阳脉微而弦，微则无胃气，弦则不得息；

少阴脉沉而滑，沉为在里，滑则为实，沉滑相搏，血结胞门，其瘕不泻，经络不通，名曰血分。

【877】问曰：病者苦水，面目身体皆肿，四肢亦肿，小便不利，脉之，不言水，反言胸中痛，气上冲咽状如炙肉，当微咳喘，审如师言，其脉何类？师曰：寸口脉沉而紧，沉为水，紧为寒，沉紧相搏，结在关元。始时尚微，年盛不觉。阳衰之后，荣卫相干，阳损阴盛，结寒微动，肾气上冲，咽喉塞噎，胁下急痛，医以为留饮而大下之，沉紧不去，其病不除；复重吐之，胃家虚烦，咽燥欲饮水，小便不利，水谷不化，面目手足浮肿；又与葶苈下水，当时如小差，食饮过度，肿复如前，胸胁苦痛，象若奔豚，其水扬溢，则咳喘逆。当先攻其冲气令止，乃治其咳，咳止，喘自差。先治新病，水当在后。

【878】水之为病，其脉沉小者，属少阴为石水；沉迟者，属少阴为正水；浮而恶风者，为风水，属太阳；浮而不恶风者，为皮水，属太阳；虚肿者，属气分，发其汗即已；脉沉者，麻黄附子甘草汤主之；脉浮者，麻黄加术汤主之。

麻黄附子甘草汤方 麻黄二两（去节） 附子一枚（炮） 甘草二两（炙）

上三味，以水七升，先煮麻黄，去上沫，纳诸药，煮取三升，去滓，分温三服。

麻黄加术汤方 麻黄三两（去节） 桂枝二两（去皮） 杏仁七十个 甘草一两（炙） 白术四两

上五味，以水九升，先煮麻黄，减二升，去上沫，纳诸药，煮二升半，去滓，温服八合，覆取微汗，不汗再服，得汗停后服。

【879】风水，脉浮身重，汗出恶风者，防己黄芪汤主之。

防己黄芪汤方 防己一两 甘草五钱（炙） 白术七钱半 黄芪一两

上四味，剉如麻豆大，每抄五钱匕，生姜四片，大枣一枚，水一升半，煮取八合，去滓，温服；喘者，加麻黄五钱；胃中不和者，加芍药三分；气上冲者，加桂枝三分；下有陈寒者，加细辛三分；服后当如虫行皮中，从腰下如冰，后坐被上，又以一被绕腰下，温令有微汗差。

【880】风水，恶风，一身悉肿，脉浮不渴，续自汗出，无大热者，越婢汤主之。

越婢汤方 麻黄六两（去节） 石膏半斤 甘草二两 生姜三两（切） 大枣十二枚①（劈）

上五味，以水六升，先煮麻黄，去上沫，纳诸药，煮取三升，去滓，分温三服。

【881】皮水，四肢肿，水气在皮肤中，四肢聂聂动者，防己茯苓汤主之。

防己茯苓汤 防己三两 黄芪三两 桂枝三两（去皮） 茯苓六两 甘草二两（炙）

上五味，以水六升，煮取三升，分温三服。

【882】里水，一身面目黄肿，其脉沉，小便不利，甘草麻黄汤主之；越婢加术汤亦主之。

甘草麻黄汤方 甘草二两 麻黄四两（去节）

---

① 《白云阁本》和《会通本》均为"十五枚"。越婢加术汤中也是"十五枚"。

上二味，以水五升，先煮麻黄，去上沫，纳甘草，煮取三升，去滓，温服一升，覆令汗出，不汗再服。

越婢加术汤方 麻黄六两（去节） 石膏半斤 甘草二两（炙） 生姜三两（切） 大枣十五枚 白术四两

上六味，以水六升，先煮麻黄，去上沫，纳诸药，煮取三升，分温三服。

【883】问曰：黄汗之为病，身体肿，若重汗出而发热口渴①，状如风水，汗沾衣，色正黄如柏汁，脉自沉，从何得之？师曰：以汗出入水中浴，水从汗孔入得之，宜黄芪芍药桂枝汤。

黄芪芍药桂枝汤方 黄芪五两 芍药三两 桂枝三两

上三味，以苦酒一升，水七升，相合，煮取三升，去滓，温服一升，当心烦，服至六七日乃解；若心烦不止者，以苦酒阻故也，以美酒醯②易之。

【884】黄汗之病，两胫自冷；假令发热，此属历节。食已汗出，暮常盗汗，此荣气热也；若汗出已，反发热者，久久身必甲错；若发热不止者，久久必生恶疮；若身重，汗出已，辄③轻者，久久身必瞤，瞤即胸痛；又从腰以上汗出，以下无汗，腰髋弛痛，如有物在皮中状，剧则不能食，身疼重，烦躁，小便不利，此为黄汗，桂枝加黄芪汤主之。

桂枝加黄芪汤方 桂枝三两（去皮） 芍药三两 甘草二两（炙） 生姜三两（切） 大枣十五枚（劈） 黄芪

---

① "身体肿，若重汗出而发热口渴"：《会通本》断作"身体肿若重，汗出而发热、口渴"。

② "醯"：《白云阁本》和《会通本》均作"醯"。醯者，醋也。

③ "辄"：《白云阁本》和《会通本》均作"辄"。

二两

上六味，以水八升，煮取三升，去滓，温服一升，日三服。

【885】寸口脉沉而弱，沉即主骨，弱即主筋，沉即为肾，弱即为肝，汗出入水中，如水伤心，历节痛，黄汗出，故曰历节。

【886】味酸则伤筋，筋伤则缓，名曰泄；咸则伤骨，骨伤则痿，名曰枯；枯泄相搏，名曰断泄。荣气不通，卫不独行，荣卫俱微，三焦无御，四属断绝，身体羸瘦，独足肿大，黄汗出，两胫热，便为历节。

【887】少阴脉浮而弱，弱则血不足，浮则为风，风血相搏，即疼痛如掣。

【888】肥盛之人，脉涩小，短气，自汗出，历节疼，不可屈伸，此皆饮酒汗出当风所致也。

【889】诸肢节疼痛，身体羸瘦，脚肿如脱，头眩短气，温温欲吐者，桂枝芍药知母甘草汤主之。

桂枝芍药知母甘草汤方　桂枝三两（去皮）　芍药三两　知母二两　甘草二两

上四味，以水六升，煮取三升，去滓，温服一升，日三眼。

【890】病历节，疼痛不可屈伸，脉沉弱者，乌头麻黄黄芪芍药甘草汤主之。

乌头麻黄黄芪芍药甘草汤方　乌头五枚（切）　麻黄三两　黄芪三两　芍药三两　甘草三两

上五味，先以蜜二升煮乌头，取一升，去滓，别以水三升煮四味，取一升，去滓，纳蜜再煮一二沸，服七合，不知尽服之。

【891】病历节，疼痛，两足肿，大小便不利，脉沉紧者，甘草麻黄汤主之；脉沉而细数者，越婢加白术汤主之（二方俱见前）。

【892】师曰：寸口脉迟而涩，迟则为寒，涩为血不足；趺阳脉微而迟，微则为气，迟则为寒。胃气不足，则手足逆冷；荣卫不利，则腹满肠鸣相逐，气转膀胱，荣卫俱劳。阳气不通即身冷，阴气不通即骨疼。阳前通则恶寒，阴前通则痹不仁。阴阳相得，其气乃行。大气一转，寒气乃散。实则失气，虚则遗溺，名曰气分。

【893】气分，心下坚，大如盘，边如旋杯，桂枝甘草麻黄生姜大枣细辛附子汤主之。

桂枝甘草麻黄生姜大枣细辛附子汤方　桂枝三两（去皮）　甘草二两（炙）　麻黄二两（去节）　生姜二两（切）　大枣十二枚（劈）　细辛三两　附子一枚（炮）

上七味，以水七升，先煮麻黄去沫，纳诸药，煮取三升，分温三服，汗出即愈。

【894】水饮，心下坚，大如盘，边如旋杯，枳实白术汤主之。

枳实白术汤方　枳实七枚　白术二两

上二味，以水五升，煮取三升，去滓，分温三服。

【895】小便不利，其人有水气，若渴者，栝蒌瞿麦薯蓣丸主之。

栝蒌瞿麦薯蓣丸方　括蒌根二两　瞿麦一两　山药二两　附子一枚（炮）　茯苓三两

上五味，末之，炼蜜为丸，如梧桐子大，饮服二丸，日三服，不知可增至七八丸，以小便利、腹中温为知。

【896】小便不利，其人有水气在血分者，滑石乱发白鱼散主之，茯苓白术戎盐汤亦主之。

滑石乱发白鱼散方　滑石一斤　乱发一斤（烧）　白鱼一斤

上三味杵为散，饮服方寸匕，日三服。

茯苓白术戎盐汤方　茯苓半斤　白术二两　戎盐二枚（弹丸大）

上三味，先以水一斗，煮二味，取三升，去滓，纳戎盐，更上微火一二沸化之，分温三服。

伤寒杂病论卷第十五

辨瘀血吐血衄血下血疮痈病脉证并治

【897】病人胸满、唇痿、舌青、口燥，但欲嗽①水，不欲咽，无寒热，脉微大来迟，腹不满，其②言我满，此为有瘀血。

【898】病人如有热状，烦满，口干燥而渴，其脉反无热，此为阴伏，是瘀血也，当下之，宜下瘀血汤。

下瘀血汤方 大黄三两　桃仁二十枚　蟅虫二十枚（去足）

上三味，末之，炼蜜和丸，以酒一升，水一升，煮取八合，顿服之，血下如豚肝愈。

【899】膈间停留瘀血，若吐血色黑者，桔梗汤主之。

桔梗汤方 桔梗一两　甘草二两

上二味，以水三升，煮取一升，去滓，温分再服。

【900】吐血不止者，柏叶汤主之，黄土汤亦主之。

---

① "嗽"：《白云阁本》同此，后米伯让复刻本书勘误表时改为"漱"，《会通本》也作"漱"。

② 《白云阁本》和《会通本》此处均有"人"字。

柏叶汤方 柏叶三两 干姜三两 艾叶三把

上三味，以水五升，取马通汁一升，合煮，取一升，去滓①，分温再服。

黄土汤方 灶中黄土半斤 甘草三两 地黄三两 白术三两 附子三两（炮） 阿胶三两 黄芩三两

上七味，以水八升，煮取三升，去滓②，分温三服。

【901】心气不足，吐血，若衄血者，泻心汤主之。

泻心汤方 大黄二两 黄连一两

上二味，以水三升，煮取一升，去滓，顿服之。

【902】下血，先便而后血者，此远血也，黄土汤主之（方见上）。

【903】下血，先血而便者，③此近血也，赤豆当归散主之。

赤豆当归散方 赤小豆三升（浸令毛④出，曝干） 当归十两

上二味，杵为散，浆水和服方寸匕，日三服。

【904】师曰：病人面无色，无寒热，脉沉弦者，必衄血；脉浮而弱，按之则绝者，必下血；烦而咳者，必吐血。

【905】从春至夏衄血者，属太阳也；从秋至冬衄血者，属阳明也。

---

① "去滓"：《广西八零本》有此二字，他本皆无。
② 《会通本》在"去滓"：后有"纳胶令烊"，《白云阁本》作"煮取三升，分温三服"，无"去滓"、"纳胶令烊"等字。
③ 《白云阁本》原作"……而便者"，米伯让复刻版书末勘误表将"而便"修订为"而后便"。
④ "毛"：《白云阁本》和《会通本》均作"芽"。

【906】尺脉浮，目睛晕黄者，衄未止也；黄去睛慧了者①，知衄已止。

【907】问曰：寸口脉微浮而涩，法当亡血，若汗出，设不汗出者云何？师曰：若身有疮，被刀斧所伤，亡血故也，此名金疮。无脓者，王不留行散主之；有脓者，排脓散主之，排脓汤亦主之。

王不留行散方　王不留行十分（烧）　蒴藋细叶十分（烧）　桑根白皮十分（烧）　甘草十八分　黄芩二分　蜀椒三分（去目）　厚朴二分　干姜二分　芍药二分

上九味，为散，饮服方寸匕。小疮即粉之，大疮但服之，产后亦可服。

排脓散方　枳实十六枚　芍药六分　桔梗二分

上三味，杵为散，取鸡子黄一枚，以药散与鸡黄相等，揉和令相得，饮和服之，日一服。

排脓汤方　甘草二两　桔梗三两　生姜一两　大枣十枚（劈）

上四味，以水三升，煮取一升，去滓，温服五合，日再服。

【908】浸淫疮，从口流向四肢者，可治；从四肢流来入口者，不可治。

【909】浸淫疮，黄连粉主之。

黄连粉方　黄连十分　甘草十分

上二味，捣为末，饮服方寸匕，并粉其疮上。

【910】诸脉浮数，法当发热，而反洒淅恶寒，若有痛

---

① "黄去睛慧了者"：各本中仅《广西八零本》作"黄睛慧了者"。

处，当发其痈。

【911】师曰：诸痈肿者，欲知有脓无脓？以手掩肿上，热者，为有脓；不热者，为无脓也。

【912】肠痈之为病，其身甲错，腹皮急，按之濡，如肿状，腹无积聚，身无热，脉数，此为肠内有痈也，薏苡附子败酱散主之。

薏苡附子败酱散方　薏苡十分　附子二分　败酱五分

上三味，杵为末，取方寸匕，以水二升，煮减半，去滓，顿服，小便当下血。

【913】少腹肿痞，按之即痛如淋，小便自调，时时发热，自汗出，复恶寒，此为肠外有痈也。其脉沉紧者，脓未成也，下之当有血；脉洪数者，脓已成也，可下之，大黄牡丹汤主之。

大黄牡丹汤方　大黄四两　牡丹①一两　桃仁五十个　冬瓜子半升　芒硝三合

上五味，以水六升，煮取一升，去滓，顿服之。有脓者当下脓，无脓者当下血。

辨胸痹病脉证并治

【914】师曰：夫脉当取太过不及，阳微阴弦，即胸痹而痛；所以然者，责其极虚也。今阳虚，知在上焦，胸痹而痛者，以其脉弦故也。

【915】平人无寒热，胸痹，短气不足以息者，实也。

---

① "牡丹"：见前"牡丹"注。

【916】胸痹，喘息、咳唾、胸背痛，寸脉沉迟，关上小紧数者，栝蒌薤白白酒汤主之。

栝蒌薤白白酒汤方　栝蒌实一枚（捣）　薤白半斤　白酒七升

上三味，同煮取二升，分温再服。

【917】胸痹不得卧，心痛彻背者，栝蒌薤白半夏汤主之。

薤白栝蒌半夏汤方　栝蒌实一枚（捣）　薤白三两　半夏半升（洗）　白酒一斗

上四味，同煮取四升，去滓，温服一升，日三服。

【918】胸痹，心中痞，留气结在胸，胸满，胁下逆抢心者，枳实薤白桂枝厚朴栝蒌汤主之；桂枝人参汤亦主之。

枳实薤白桂枝厚朴栝蒌汤方　枳实四枚　薤白半斤　桂枝一两（去皮）　厚朴四两　栝蒌一枚（捣）

上五味，以水五升，先煮枳实、厚朴取二升，去滓，纳诸药，煮数沸，分温三服。

桂枝人参汤方　桂枝四两（去皮）　人参三两　甘草三两　干姜三两　白术三两

上五味，以水一斗，先煮四味，取五升，纳桂枝，更煮取三升，去滓，温服一升，日三服。

【919】胸痹，胸中气塞，或短气者，此胸中有水气也，茯苓杏仁甘草汤主之；橘皮枳实生姜汤亦主之。

茯苓杏仁甘草汤方　茯苓二两　杏仁五十个　甘草一两（炙）

上三味，以水一斗，煮取五升，去滓，温服一升，日三服，不差更服。

橘皮枳实生姜汤方　橘皮一斤　枳实三两　生姜半斤（切）

上三味，以水五升，煮取二升，去滓，分温再服。

【920】胸痹，时缓时急者，薏苡附子散主之。

薏苡附子散方　薏苡①十五两　大附子十枚（炮）

上二味，杵为散，白饮服方寸匕，日三服。

【921】胸痹，心中悬痛者，桂枝生姜枳实汤主之。

桂枝生姜枳实汤方　桂枝三两②（去皮）　生姜三两（切）　枳实五枚

上三味，以水六升，煮取三升，去滓，分温三服。

【922】胸痹，胸痛彻背，背痛彻胸者，乌头赤石脂丸主之，

乌头赤石脂丸方　乌头一两　蜀椒一两　附子五钱③　干姜一两　赤石脂一两

上五味，末之，蜜为丸，如梧桐子大，先食，服一丸，日三服。不知稍增，以知为度。

【923】胸痹，其人常欲蹈其胸上，先未苦时，④但欲饮热者，旋覆花汤主之。

旋覆花汤方　旋覆花三两　葱十四茎　新绛少许

上三味，以水三升，煮取一升，顿服。

【924】胸痹，心下悸者，责其有痰也，半夏麻黄丸主之。

---

① "薏苡"：《白云阁本》米伯让复刻本勘误表谓"薏苡"后有"仁"字。
② "三两"：《白云阁本》和《会通本》均作"五两"。
③ "五钱"：《白云阁本》和《会通本》均作"半两"。
④ "其人常欲蹈其胸上，先未苦时"：《广西八零本》断作"其人常欲蹈，其胸上先未苦时"。

半夏麻黄丸方　半夏　麻黄各等分

上二味，末之，炼蜜和丸，如小豆大，饮服三丸，日三服。

【925】胸痹，心下痛，或有恶血积冷者，九痛丸主之。①

九痛丸方　附子三两　狼毒四两　巴豆一两（去皮心，熬研如脂）人参一两　干姜一两　吴茱萸一两

上六味，末之，蜜丸如梧桐子大，酒下，强人初服三丸，日三服，弱者二丸。

兼治卒中恶，腹胀痛，口不能言；又治连年积冷，流注，心胸痛，冷气上冲；落马、坠车、血疾等，皆主之。忌口如常法。

---

① 《白云阁本》无此条此方。

伤寒杂病论卷第十六

辨妇人各病脉证并治

【926】师曰：妇人得平脉，阴脉小弱，其人呕，不能食，无寒热，此为妊娠，桂枝汤主之；于法六十日当有此证。设有医治逆者，却一月加吐下者，则绝之。

桂枝汤方 桂枝三两（去皮） 芍药三两 甘草二两（炙） 生姜三两（切） 大枣十二枚（劈）

上五味，以水七升，煮取三升，去滓，分温三服。

【927】妇人宿有癥病，经断未及三月，而得漏下不止，胎动在脐上者，此为癥痼害。妊娠六月动者，前三月经水利时，胎也；下血者，断后三月衃①也。所以血不止者，其癥不去故也，当下其癥，桂枝茯苓丸主之。

桂枝茯苓丸方 桂枝 茯苓 牡丹 桃仁 芍药各等分

上五味，末之，炼蜜为丸，如兔屎大，每日食前服一丸，不知可渐加至三丸。

【928】妇人怀孕六七月，脉弦，发热，其胎愈胀，腹

---

① "衃"：《白云阁本》和《会通本》均作"胚"。胚为胎之异体字。

痛，恶寒，少腹如扇，所以然者，子脏开故也，当以附子汤温之。

附子汤方　附子二枚（炮，去皮，破八片）　茯苓三两　人参二两　白术四两　芍药三两。

上五味，以水八升，煮取三升，去滓，温服一升，日三服。

【929】师曰：妇人有漏下者，有半产后续下血都不绝者；假令妊娠腹中痛者，此为胞阻，胶艾汤主之。

胶艾汤方　地黄六两　芎䓖二两　阿胶二两　艾叶三两　当归三两　芍药四两　甘草二两

上七味，以水五升，清酒三升，煮六味，取三升，去滓，纳胶烊消，温服一升，日三服。

【930】妇人怀妊，腹中疞痛，当归芍药散主之。

当归芍药散方　当归三两　芍药一斤　茯苓四两　白术四两　泽泻半斤　川芎三两

上六味，杵为散，取方寸匕，温酒和，日三服。

【931】妊娠，呕吐不止，干姜人参半夏丸主之。

干姜人参半夏丸方　干姜一两　人参一两　半夏二两

上三味，末之，以生姜汁糊为丸，如梧桐子大，每服五丸，日三服，饮下。

【932】妊娠，小便难，饮食如故，当归贝母苦参丸主之。

当归贝母苦参丸方　当归四两　贝母四两　苦参四两

上三味，末之，炼蜜为丸，如小豆大，饮服三丸，日三服。

【933】妊娠，有水气，小便不利，洒淅恶寒，起即头

眩，葵子茯苓散主之。

葵子茯苓散方 葵子一斤 茯苓三两

上二味，杵为散，饮服方寸匕，日三服，小便利则愈。

【934】妇人妊娠，身无他病，宜常服当归散，则临产不难，产后亦免生他病。

当归散方 当归一斤 黄芩一斤 芍药一斤 川芎一斤 白术半斤

上五味，杵为散，酒服方寸匕，日再服。

【935】妊娠，身有寒湿，或腹痛，或心烦心痛，不能饮食，其胎跃跃动者，宜养之，白术散主之。

白术散方 白术 芎劳 蜀椒（去目汗） 牡蛎 各等分

上四味，杵为散，酒服一钱匕，日三服，夜一服。

【936】妇人怀身七月，腹满不得小便，从腰以下如有水状，此太阴当养不养，心气实也，宜泻劳宫、关元，小便利则愈。

【937】问曰：新产妇人有三病，一者病痉，二者郁冒，三者大便难，何谓也？师曰：新产血虚，多汗出，喜中风，故令病痉；亡血，复汗，寒多，故令郁冒；亡津液，胃燥，故大便难。

【938】产妇郁冒，其脉微弱，呕不能食，大便反坚，但头汗出。所以然者，血虚而厥，厥则必冒，冒家欲解，必大汗出，以血虚下厥，孤阳上出，故头汗出也。所以产妇喜汗出者，亡阴血虚，阳气独盛，故当汗出，阴阳乃复。大便坚，呕不能食者，小柴胡汤主之。

小柴胡汤方 柴胡半斤 黄芩三两 人参三两 甘草

三两　半夏半升（洗）　生姜三两（切）　大枣十二枚
（劈）

上七味，以水一斗，煮取六升，去滓，再煎取三升，
温服一升，日三服。

【939】郁冒病解，能食，七八日更发热者，此为胃实，
大承气汤主之。

大承气汤方　大黄四两（酒洗）　厚朴半斤（炙，去
皮）　枳实五枚（炙）　芒硝三合

上四味，以水一斗，先煮二物，取五升，去滓，纳大
黄，更煮取二升，去滓，纳芒硝，更上微火一两沸，分温
再服，得下，停后服。

【940】产后腹中疗痛，若虚寒不足者，当归生姜羊肉
汤主之。

当归生姜羊肉汤　当归三两　生姜五两　羊肉一斤

上三味，以水八升，煮取三升，去滓，温服一升，日
三服。

【941】产后腹痛，烦满不得卧，不可下也，宜枳实芍
药散和之。

枳实芍药散方　枳实　芍药　等分

上二味，杵为散，服方寸匕，日三服，麦粥和①下之。

【942】师曰：产后腹痛，法当以枳实芍药散；假令不
愈，必腹中有瘀血着脐下也，下瘀血汤主之。

下瘀血汤方　大黄三两　桃仁二十枚（去皮尖）蟅虫
二十枚（去足）

----

① "和"：《白云阁本》和《会通本》均无此字。

上三味，末之，炼蜜和丸，以酒一升，煮取八合，顿服之，当下血如豚肝。

【943】产后七八日，无太阳证，少腹坚痛，此恶露不尽也；若不大便，烦躁发热，脉微实者，宜和之；若日晡所烦躁，食则谵语，至夜即愈者，大承气汤主之（方见前）。

【944】产后中风，数十日不解，头痛，恶寒，发热，心下满，干呕，续自微汗出，小柴胡汤主之（方见前）。

【945】产后中风，发热，面赤，头痛，汗出而喘，脉弦数者，竹叶汤主之。

竹叶汤方 竹叶一把 葛根三两 桔梗一两 人参一两 甘草一两 生姜五两（切） 大枣十五枚（劈）

上七味，以水八升，煮取三升，去滓，温服一升，日三服。

【946】产后烦乱，呕逆，无外证者，此乳中虚也，竹皮大丸主之。

竹皮大丸方 竹茹二分 石膏二分 桂枝一分 甘草七分 白薇一分

上五味，末之，枣肉和丸，如弹子大，饮服一丸，日三服，夜二服，有热者倍白薇。

【947】产后下利，脉虚极者，白头翁加甘草阿胶汤主之。

白头翁加甘草阿胶汤方 白头翁二两 黄连三两 柏皮三两 秦皮三两 甘草二两 阿胶二两

上六味，以水五升，先煮五味，取三升，去滓，纳胶烊消，分温三服。

【948】妇人咽中如有炙脔者，半夏厚朴茯苓生姜汤主之。

半夏厚朴茯苓生姜汤方① 半夏一升 厚朴三两 茯苓四两 生姜五两（切） 苏叶二两

上五味，以水一斗，煮取四升，去滓，分温四服，日三服，夜一服。苦痛者，去苏叶，加桔梗二两。

【949】妇人脏燥，悲伤欲哭，数欠伸，象如神灵所作者，甘草小麦大枣汤主之。

甘草小麦大枣汤方 甘草三两 小麦一升 大枣十枚（劈）

上三味，以水六升，煮取三升，去滓，分温三服。

【950】妇人吐涎沫，医反下之，心下即痞，当先治其吐涎沫，后治其痞。治吐②宜桔梗甘草茯苓泽泻汤，治痞宜泻心汤。

桔梗甘草茯苓泽泻汤方 桔梗三两 甘草二两 茯苓三两 泽泻二两

上四味，以水五升，煮取三升，去滓，温服一升，日三服。

泻心汤方 大黄二两 黄连一两

上二味，以麻沸汤二升，渍之，须臾绞去滓，分温再服。

【951】妇人之病，因虚积冷结，为诸经水断绝，血结胞门。或绕脐疼痛，状如寒疝；或痛在关元，肌若鱼鳞；

---

① 《白云阁本》和《会通本》均无"苏叶"一味，且下文中"分温四服"作"温服一升"，"苦痛者，去苏叶，加桔梗二两"作为"苦痛者加桔梗一两"。

② 《白云阁本》米伯让复刻本勘误表于此处补入"涎沫"二字。

或阴中掣痛，少腹恶寒；或引腰脊，或下气街；此皆带下。万病一言，察其寒、热、虚、实、紧、弦，行其针药，各探其源。子当辨记，勿谓不然。

【952】问曰：妇人年五十所，病下血数十日不止，暮即发热，少腹里急，腹满，手掌烦热，唇口干燥，何也？师曰：此病属带下，何以知之？曾经半产，瘀血在少腹不去，故唇口干燥也，温经汤主之。

温经汤方 吴茱萸三两　当归二两　芎䓖二两　芍药二两　人参二两　桂枝二两（去皮）　阿胶二两　牡丹皮二两　甘草二两　生姜二两（切）

上十味，以水一斗，煮取三升，去滓，日三服，每服一升，温饮之。

【953】经水不利，少腹满痛，或一月再经者，王瓜根散主之。阴肿者，亦主之。

王瓜根散方 王瓜根三分　芍药三分　桂枝三分（去皮）　䗪虫三枚

上四味，杵为散，酒服方寸匕，日三服。

【954】妇人半产若漏下者，旋覆花汤主之；脉虚弱者[1]，黄芪当归汤主之。

旋覆花汤方 旋覆花三两　葱十四茎　新绛少许
右三味，以水三升，煮取一升，去滓，顿服之。

黄芪当归汤方 黄芪三两　当归半两
上二味，以水五升，煮取三升，去滓，温服一升，日三服。

---

① "脉虚弱者"：《白云阁本》和《会通本》均无此四字。

【955】妇人陷经漏下，色黑如块者，胶姜汤主之。

胶姜汤方　阿胶三两　地黄六两　芎䓖二两　生姜三两（切）　当归三两　芍药三两　甘草二两（炙①）

上七味，以水五升，清酒三升，先煮六味，取三升，去滓，纳胶烊消，温服一升，日三服。

【956】妇人少腹满如敦状，小便微难而不渴，或经后产后者，此为水与血俱结在血室也，大黄甘遂阿胶汤主之。

大黄甘遂阿胶汤方　大黄四两　甘遂二两　阿胶二两②

上三味，以水三升，煮二味，取一升，去滓，纳胶烊消，温顿服之。

【957】妇人时腹痛，经水时行时止，止而复行者，抵当汤主之。

抵当汤方　水蛭三十个（熬）　虻虫三十个（去翅足）　桃仁三十个　大黄三两

上四味，以水五升，煮取三升，去滓，温服一升，不下更服。

【958】妇人经水闭，脏坚癖，下白物不止，此中有干血也，矾石丸主之。

矾石丸方　矾石三分（烧）　杏仁一分

上二味，末之，炼蜜为丸，枣核大，纳脏中，剧者再纳之。

【959】妇人六十二种风证，腹中气血如刺痛者，红蓝花酒主之。

---

① "炙"：《白云阁本》和《会通本》均无此字。
② "二两"：《白云阁本》作"三两"。

红蓝花酒方　红蓝花一两

上一味，以酒一斗，煎减半，去滓，分温再服。

【960】妇人腹中诸病痛者，当归芍药散主之，小建中汤亦主之（当归芍药散见前）。

小建中汤方　桂枝三两（去皮）　芍药六两　甘草三两（炙）　生姜三两（切）　大枣干二枚（劈）　饴糖一升

上六味，以水七升，煮取三升，去滓，纳胶饴，更上微火消解，温服一升，日三服。

【961】问曰：妇人病，饮食如故，烦热不得卧，而反倚息者，何也？师曰：此名转胞，不得溺也，以胞系了戾，故致此病，但利小便则愈，肾气丸主之。

肾气丸方①　地黄八两　山药四两　山茱萸四两　泽泻三两　牡丹皮三两　茯苓三两　桂枝一两　附子一枚（炮）

上八味，末之，炼蜜和丸，梧桐子大，温酒下十五丸，日再服，不知渐增，至二十五丸。

【962】妇人阴寒，蛇床子散主之。

蛇床子散方　蛇床子一两

上一味，末之，以白粉少许，和合相得，如枣大，绵裹纳阴中，自温。

【963】少阴脉滑而数者，阴中疮也，蚀烂者，狼牙汤主之。

狼牙汤方　狼牙三两

上一味，以水四升，煮取半升，去滓，以绵缠箸如茧大，浸汤沥阴中，洗之，日四遍。

---

① "肾气丸"：本书三处出现肾气丸，分别在"卷十一"、"卷十三"与本条，方后注皆略有小异。

【964】胃气下泄，阴吹而喧，如失气者，此谷道实也，猪膏发煎主之。

猪膏发煎方 猪膏半斤 乱发三枚（如鸡子大）

上二味，和膏煎之，发消药成，分再服。

附　录

一、中医古籍处方剂量换算

中医处方及其每一味药的剂量，向来是"不传之秘"。仲圣却将此和盘托出，功莫大焉！而古方尤其是汉代的古方剂量如何换算成现代计量单位，后代尤其是现今争论很大，众说纷纭，莫衷一是。自1981年考古发现汉代度量衡器"权"以后，经过当代柯雪帆、李可、郝万山等众多专家学者研究，此问题基本得到解决。现摘要整理如下：

1石≈4钧≈49760克

1钧≈30斤≈7440克

1斤≈60两≈248克≈250毫升水

1两≈24铢≈15.625克

1圭≈0.5克

1撮≈2克

1方寸匕≈金石类药末2.74克≈动物类药末2克≈草木类药末1克

半方寸匕≈1刀圭≈1钱匕≈1.5克

1钱匕≈1.5~1.8克

1 铢 ≈0.65 克

1 铢 ≈100 粒黍米的重量

1 分 ≈3.9~4.2 克

1 斛 ≈10 斗 ≈20000 毫升

1 斗 ≈10 升 ≈2000 毫升

1 升 ≈10 合 ≈200 毫升

1 合 ≈2 龠 ≈20 毫升

1 龠 ≈5 撮 ≈10 毫升

1 撮 ≈4 圭 ≈2 毫升

1 圭 ≈0.5 毫升

1 引 ≈10 丈 ≈2310 厘米

1 丈 ≈10 尺 ≈231 厘米

1 尺 ≈10 寸 ≈23.1 厘米

1 寸 ≈10 分 ≈2.31 厘米

1 分 ≈0.231 厘米

梧桐子大 ≈黄豆大

蜀椒 1 升 ≈50 克

葶苈子 1 升 ≈60 克

吴茱萸 1 升 ≈50 克

五味子 1 升 ≈50 克

半夏 1 升 ≈130 克

虻虫 1 升 ≈16 克

附子大者 1 枚 ≈20~30 克

附子中者 1 枚 ≈15 克

强乌头 1 枚 ≈3 克

强乌头大者 1 枚 ≈5~6 克

杏仁大者 10 枚 ≈4 克

栀子 10 枚 ≈15 克

栝楼 1 枚 ≈46 克

枳实 1 枚 ≈14．4 克

石膏鸡子大 1 枚 ≈40 克

厚朴 1 尺 ≈30 克

竹叶 1 握 ≈12 克

另据 1956 年重庆新辑宋本《伤寒论》：

（1）从桂枝汤知 12 枚大枣合 3 两重，则 1 两约为 14 克。（1 斤 =16 两；1 两 =4 分；1 分 =6 铢）

（2）从滑石白鱼散知 1 方寸匕至少为 2 分，即 7 克。

（3）从瓜蒂散知 1 钱匕约为 2/3 分，即 2.3 克。

（4）结合经验知 1 升合 1 碗，约为 200～250 毫升（1 斛 =10 斗，1 斗 =10 升，1 升 =10 合）。

（5）若言某物若干升者，实为以升量物，从柴胡桂枝汤和小柴胡汤对比可知 1 升约为 6 两，即 84 克。

最后，值得强调指出：《伤寒杂病论》所收集的药方，所用到的几乎都是常见的植物类药，很少用到动物类和金石类药。虽然如此，其所用少数几个虫类等却十分重要，处方时其计量最好不要换算成现代计量单位，还是严格遵循原有的"个、只"计量，以确保处方效果。

二、汤方索引（笔画排序）

一画

二画

三画

六画

七画

八画

九画

十画

十一画

十二画

十三画

十四画

十六画

十九画